Collection
PROFIL LITTÉRATURE
dirigée par Georges Décote

Série
PROFIL D'UNE ŒUVRE

Cahier d'un retour au pays natal
(1939, première publication)
(1956, édition définitive)

Discours sur le colonialisme
(1955)

CÉSAIRE

Résumé
Personnages
Thèmes

ROBERT JOUANNY
professeur à la Sorbonne
directeur du Centre international d'études francophones

HATIER

SOMMAIRE

© HATIER, PARIS, SEPTEMBRE 1994   ISSN 0750-2516   ISBN 2-218 0978-1

Nos références sont données à partir des textes publiés par les éditions Présence Africaine. Elles sont signalées par les lettres C pour le *Cahier* et D pour le *Discours*, suivies de l'indication de page. Elles renvoient à l'édition 1989 du *Cahier* et à l'édition 1994 du *Discours*. Toutes autres références renvoient au Profil.

**Titres à consulter
dans le prolongement de cette étude
sur le *Cahier d'un retour au pays natal*,
et le *Discours sur le colonialisme***

Sur la négritude

– *Les Mots clés du français au bac*
(« Profil Formation », 422 / 423 ; définition, p. 103).
– Voltaire, *Candide,* (« 10 textes expliqués », 104 ;
le nègre de Surinam, chap. 7).

Sur le colonialisme

– Le Clézio, *Désert* (« Profil d'une œuvre », 164,
une mise en accusation de l'Occident, chap.7).
– Montaigne, *Les Essais* (« Profil d'une œuvre », 65,
le colonialisme, chap.8).

Sur l'engagement en littérature

– *Histoire de la littérature en France au XXᵉ siècle*
(« Histoire littéraire » 125 / 126, le temps
des engagements, p. 85-95).
– *Du plan à la dissertation* (« Profil Formation » 144,
la littérature engagée, p. 74-78).
– Modiano, *La Ronde de nuit* (« Profil d'une œuvre » 80,
un refus de l'engagement, chap.5).

Sur la poésie de l'image

– Éluard, *Poésies* (« Profil d'une œuvre » 80 ;
les belles images, chap. 7).
– Apollinaire, *Alcools* (« 10 poèmes expliqués » 160 ;
les images, « Zone », chap. 1 ; comparaisons et images :
« Le Pont Mirabeau », chap. 3 ; les images de mort :
« L'émigrant de Landor Road », chap. 7).

Cahier d'un retour au pays natal

AIMÉ CÉSAIRE
(né en 1913)

POÈME
XXe SIÈCLE

RÉSUMÉ

Le poète martiniquais, après avoir séjourné à Paris, retrouve son île natale et s'interroge sur son identité, sur son rôle et sur les problèmes que la colonisation pose à l'homme noir. Le spectacle de l'île et le comportement des Antillais le plongent dans un profond pessimisme et les souvenirs d'enfance eux-mêmes sont amers. Déçu par l'Europe, il ne trouve que désillusion à son retour. Son rôle sera désormais d'aider l'homme noir à se révolter contre la destinée et contre la société, et à prendre conscience de lui-même. Mais n'est-ce pas du délire ? Qu'attendre de lui ? Faut-il se résigner ?

Le poète devra d'abord rappeler l'importance de l'apport des Noirs au monde, accepter sans illusion de les voir tels qu'ils sont, et avec eux tirer l'exaltante leçon d'une histoire de souffrances et d'humiliations. Une mutation s'accomplira et sur le douloureux souvenir du vaisseau d'esclaves se superposera l'image d'une « négraille debout ». Dans un avenir idéal, la Négritude permettra d'établir une communion entre tous les hommes. Le pessimisme de tout le poème débouche sur l'espoir en un humanisme nouveau.

THÈMES

1. La misère de l'homme noir esclave puis colonisé
2. La critique de la société coloniale
3. La réalité martiniquaise
4. L'originalité de la langue et des images

TROIS AXES DE LECTURE

1. Un témoignage amer mais optimiste
2. La véhémence d'un prophète
3. Un foisonnement d'images

Fiche profil

Discours sur le colonialisme

AIMÉ CÉSAIRE
(né en 1913)

PAMPHLET
XXᵉ SIÈCLE

RÉSUMÉ

Ce discours n'a jamais été prononcé. C'est une mise en accusation du colonialisme, adressée à des lecteurs blancs. Césaire veut leur montrer combien ils sont coupables d'un état de faits dont ils souffriront peut-être un jour à leur tour. La colonisation est un danger pour les Noirs qui voient disparaître leurs civilisations et pour les Blancs qui, après avoir été asservis par le nazisme risquent, selon Césaire, de l'être par le capitalisme. La bourgeoisie et les intellectuels, qui sont ses complices, méconnaissent les incontestables valeurs culturelles du monde noir. Leur attitude soulève la colère de Césaire. Persuadée de l'éminente supériorité de l'Occident sur le Tiers Monde, la bourgeoisie charge les intellectuels de proposer, avec une bonne conscience bien naïve, des interprétations de la réalité négro-africaine qui, sous des apparences culturelles ou morales, sont malhonnêtes. La polémique qu'engage Césaire avec un certain nombre d'intellectuels n'exclut pas son désir d'aboutir à un humanisme dans lequel il voit, pour le monde occidental lui-même, une protection contre la menace de colonisation économique que feraient peser les États-Unis. Le *Discours* reflète ainsi l'espoir d'une révolution qui respecterait les cultures de chaque peuple.

THÈMES

1. La colonisation et les intellectuels
2. Critique de la bourgeoisie
3. Les valeurs et les combats du Tiers Monde
4. Les positions marxistes de Césaire
5. L'actualité des années 50
6. Césaire pamphlétaire

TROIS AXES DE LECTURE

1. Une argumentation passionnée
2. Erreurs et malhonnêtetés de l'Occident
3. Un document historique

Aimé Césaire : repères biographiques

▬▬▬▬ LA FORMATION

Né le 26 juin 1913 à Basse-Pointe (nord de la Martinique), Aimé Césaire appartient à une famille de sept enfants. Petit-fils d'un instituteur, fils d'un contrôleur des contributions, il vit dans un milieu cultivé et préfère les lectures solitaires ou familiales aux jeux de l'enfance. Aussi obtient-il, en 1924, une bourse pour le lycée de Fort-de-France, où il fait de bonnes études classiques. Il a pour professeurs, entre autres, le poète antillais Gilbert Gratiant, le philosophe Mannoni, auteur de la *Psychologie de la colonisation*, et pour camarade le futur poète guyanais Léon-Gontran Damas, qui fut avec Césaire et Senghor[1] l'un des promoteurs du mouvement de la Négritude.

Bachelier en 1931, il quitte la Martinique pour Paris où il suit les cours de préparation à l'École normale supérieure, au lycée Louis-le-Grand (sept.1931- juin 1935). Ces années de formation sont marquées par l'influence d'éminents professeurs, entre autres, en philosophie Lavelle et Le Senne, en histoire Roubaud, en lettres Bayet, militant actif de l'idéal laïque. Il complète avidement son bagage culturel et découvre la littérature récente, en même temps que l'activité fébrile des cercles d'étudiants antillais et africains. Admis à l'École normale supérieure en 1935, il y prépare une licence de lettres, un mémoire sur « le Sud

---

1. Léopold Sédar Senghor, né en 1906 au Sénégal, fut l'un des théoriciens de la Négritude et du « métissage culturel ». Son œuvre poétique s'inspire de la réalité quotidienne et culturelle de l'Afrique en même temps qu'elle dit son amour de la culture française et de l'humanité. Brillant universitaire, philosophe, membre de l'Académie française, homme politique, il a été l'un des artisans des indépendances africaines et fut président de la république du Sénégal de 1960 à 1980.

dans la littérature noire américaine », et, sans succès, l'agrégation. Mais déjà, tout en traversant des crises morales assez pénibles, il a commencé à s'éloigner des préoccupations universitaires.

■■■■■ ENGAGEMENTS POLITIQUES ET LITTÉRAIRES

En même temps qu'il poursuit ses études à Paris, Césaire découvre la réalité d'une communauté noire au sein de laquelle il prend mieux conscience de l'acuité des problèmes humains posés par la colonisation. Il ne peut rester indifférent à un certain nombre d'événements : débats suscités par l'Exposition coloniale en 1931[1], découverte de l'art nègre, publication de la *Revue du Monde noir* (1931), de l'unique numéro de la revue *Légitime Défense* (1932), regroupements d'étudiants noirs en associations, etc. Dès 1934, il préside l'Association des étudiants martiniquais, participe à la fondation de la revue *L'Étudiant noir*, se lie d'amitié avec d'autres intellectuels d'outre-mer (dont Senghor), découvre les travaux des ethnologues et historiens sur l'Afrique. Mais la tentation de l'écriture poétique semble l'emporter : après son mariage avec une étudiante martiniquaise, Suzanne Roussi, en 1937, il s'éloigne un peu des engagements politiques et se consacre à la rédaction du *Cahier d'un retour au pays natal*, qu'il publie en 1939 dans la revue *Volontés*.

Revenu à la Martinique la même année, il n'y exerce le métier de professeur que durant cinq ans, enrichi d'une solide culture traditionnelle et d'une conscience politique. Tout en continuant à défendre les valeurs antillaises et africaines, il s'attache aussi à faire découvrir la poésie

---

1. Une exposition destinée à célébrer l'œuvre coloniale de la France fut organisée à Paris en 1931. La vie quotidienne et la culture de chaque colonie étaient présentées dans divers pavillons par des « indigènes ». L'organisation d'une telle exposition fut vivement critiquée par tous ceux – communistes, surréalistes, intellectuels – qui contestaient le principe même de la colonisation et doutaient du rôle civilisateur de la France.

moderne et la culture européenne à ses élèves et aux lecteurs de la revue *Tropiques* qu'il a fondée en 1941.

Il est encouragé dans la voie du Surréalisme par André Breton, dont il fait la connaissance en 1942 et qui s'enthousiasme pour son œuvre poétique. Les publications poétiques se succèdent : *Les Armes miraculeuses*, en 1946 ; additions à la première version du *Cahier,* en 1947 ; *Soleil cou coupé*, en 1947 ; *Corps perdu*, en 1950 ; *Ferrements*, en 1960. Tous ces écrits sont marqués à la fois par l'ambition de continuer à militer pour la cause des Noirs et du Tiers Monde et par une confiance, qu'il partage avec les Surréalistes, dans le pouvoir de la parole poétique. Aussi certains de ses amis, tel Senghor dans sa « Lettre à un poète », sont-ils enclins à lui reprocher alors de préférer la parole à l'action et à lui lancer un appel : « ô ! tu reviendras tu reviendras » (*Chants d'ombre*).

◼◼◼ LE LEADER MARTINIQUAIS

Après un séjour de six mois en Haïti (1944), île où la conscience noire est très développée, Césaire est élu, en 1945, maire de Fort-de-France et député communiste. En 1946, son rôle dans la transformation de la Martinique et de la Guadeloupe en départements français lui vaut les critiques de ceux de ses concitoyens qui le jugent trop inféodé à la France. Il demeure pourtant engagé dans les combats en faveur du Tiers Monde et de la décolonisation qui s'accomplit un peu partout. En 1948, il participe à la fondation des éditions Présence Africaine et, en 1950, il publie son retentissant *Discours sur le colonialisme*. Sa rupture avec le Parti communiste français, dont il récuse le caractère monolithique, est consommée dès 1956. Elle se manifeste par sa « Lettre à Maurice Thorez » et par la fondation, en 1957, du Parti populaire martiniquais (PPM), de tendance autonomiste. Il représente ce parti à l'Assemblée nationale comme « député non inscrit » jusqu'en 1993.

Véritable « patron » de son île, idéologue plutôt que révolutionnaire, il est de plus en plus accusé aujourd'hui, par certains Martiniquais, de s'être contenté de gérer, au mieux des intérêts de l'île, une situation coloniale. Il n'en est pas moins une figure exemplaire du combat en faveur des identités nationales, confiant dans le vent de l'Histoire, comme il l'a dit mélancoliquement dans son dernier recueil poétique (*Moi laminaire*,1982) : « La chose à souhaiter c'est le vent / je me mets sur le passage du vent/ [...] j'attends / j'attends / le vent (« Torpeur de l'histoire »).

■■■■ LA PAROLE DRAMATIQUE

Homme de l'écrit plus qu'orateur (ses meilleurs discours politiques sont peut-être ceux qu'il n'a pas prononcés), Césaire préfère l'image poétique à la dialectique abstraite. Il a consacré au théâtre une partie importante de son activité : il y voit à la fois un moyen de susciter une conscience politique antillaise et de toucher le public populaire du Tiers Monde. Le thème du leader révolutionnaire est en effet au centre de ses trois premières pièces. *Et les Chiens se taisaient*, oratorio lyrique détaché des *Armes miraculeuses*, adapté pour le théâtre en 1956, est une méditation du héros révolutionnaire « au moment de mourir au milieu d'un grand désastre collectif » ; *La Tragédie du roi Christophe* (1964), retrace le drame historique de la décolonisation d'Haïti et des excès qui en découlèrent ; *Une saison au Congo* (1967), inspirée par le destin de Patrice Lumumba[1], poète et voyant, présente son sacrifice comme nécessaire à la renaissance de l'Afrique. Une quatrième pièce, *Une tempête* (1969), est une « adaptation pour un théâtre nègre » de la pièce de Shakespeare *La Tempête*. Elle met en scène un antagonisme typiquement antillais entre le maître blanc et l'esclave noir, sous les yeux de l'esclave mulâtre.

Le théâtre de Césaire, plus accessible que sa poésie, conciliant peut-être mieux Négritude et universalité a beaucoup contribué à faire de lui un des principaux porte-parole de l'homme noir dans le monde, un des écrivains de ce temps les plus honorés.

---

1. Patrice Lumumba (1925-1961), héros de l'indépendance du Congo belge (aujourd'hui Zaïre), premier ministre en 1960, dut faire face à une guerre civile, peut-être suscitée par les pays occidentaux. Arrêté par d'autres Congolais, il fut exécuté peu après (officiellement abattu lors d'une tentative d'évasion !).

2 Clés de l'univers césairien

▬▬▬ AFRIQUE ET ANTILLES

L'homme antillais a éprouvé au cours des siècles un sentiment ambigu à l'égard de l'Afrique : il est partagé entre l'image, mélancoliquement transmise par la tradition populaire, d'une Afrique perdue et inaccessible, et l'admiration, presque pathologique, pour la France, associée à un désir de promotion sociale par le métissage. De ce fait, il s'est longtemps retrouvé africain dans ses chants et son mode de vie, et occidentalisé sur le plan socioculturel.

Le malaise commença à prendre fin lorsque, en Haïti, l'école indigéniste et son théoricien Price-Mars, auteur du traité *Ainsi parla l'oncle* (1928) rappelèrent la force du lien culturel avec les ancêtres africains. La rencontre entre étudiants antillais et africains, à Paris, vers 1930, fut également déterminante pour une génération, dans la mesure où, aux uns et aux autres, elle donna le sentiment d'appartenir à une même race : les Antillais étaient sans doute plus politisés que les Africains, mais moins proches que leurs camarades des sources originelles, du fait de trois siècles de colonisation et de métissage culturel. Il y eut, avec une culture occidentale comparable, plus de violence verbale chez Césaire ou Damas, plus de dialectique chez Senghor. Les lectures firent le reste, en particulier celle de Frobenius (voir p.23) qui, au dire de Senghor, illumina « toute l'histoire et la préhistoire de l'Afrique », et apporta la justification philosophique des valeurs noires.

Dès lors l'Afrique s'imposa comme une référence et une source irremplaçables. S'il est vrai que Césaire ne s'y rendit lui-même qu'à plus de quarante ans, elle joua bien plus tôt le rôle d'un référent fondamental dans son univers intellectuel et lui apparut comme la seule force culturelle susceptible d'être opposée à la force irrésistible de l'Occident colonisateur. La génération de Césaire a sans doute méconnu la complexe réalité antillaise en posant comme postulat l'existence d'un antagonisme, très réducteur, Europe/Afrique, et en optant aussi résolument qu'illusoirement pour l'Afrique. Nombreux furent les Antillais qui revinrent déçus d'un pèlerinage aux sources accompli en Afrique.

▪▪▪▪▪ ESCLAVAGE

Considéré par les colonisateurs comme nécessaire en raison de la raréfaction de la main-d'œuvre indigène (voir p.17), l'esclavage se développa très tôt après la découverte de l'Amérique. La traite des Noirs, souvent organisée comme monopole d'État, fonctionna sous forme de «circuit triangulaire» (C. 64): partis des ports français, Nantes surtout, chargés de marchandises, les «traitants» échangeaient celles-ci, en Afrique, contre des esclaves, procurés souvent par des féodalités africaines, et allaient les vendre aux Antilles. Durant le XVIIIe siècle, on évalue à plus de 1 300 000 le nombre d'esclaves introduits aux Antilles françaises et en Louisiane.

Le transport se faisait dans des conditions affreuses et la mortalité était importante. À l'arrivée du bateau négrier, les esclaves, qui souvent étaient d'origines ethnique et linguistique fort diverses étaient vendus aux enchères et répartis dans les «habitations». Astreints à un travail épuisant, traumatisés par leur destinée, ils conservèrent dans leur imaginaire, de génération en génération, le mythe de l'Afrique perdue et l'espoir de la retrouver un jour.

Les révoltes, à la Martinique, étaient fréquentes, individuelles (marronnage* d'esclaves fugitifs, agressions ou empoisonnements) plutôt que collectives, en raison de la géographie de l'île. Elles étaient sévèrement châtiées, en vertu du «Code noir», appliqué dès 1685 (C. 53).

L'abolition de l'esclavage se fit par étapes et fut définitivement adoptée par la France en 1848, à l'initiative de Schœlcher, au terme d'une longue évolution des idées et avec l'appui, dans l'île, des «petits-blancs» et des «hommes libres». Mais la condition faite à l'ancien esclave, souvent prolétarisé, ne répondit pas toujours aux espérances.

■■■■■ EXOTISME
(littérature antillaise)

L'isolement des « békés » (voir p.16) repliés dans un aristocratisme suranné et le désir des mulâtres lettrés d'imiter le modèle blanc expliquent que les premières expressions littéraires antillaises se caractérisent surtout par de gracieuses descriptions de mondanités et par un exotisme, qui exprime le charme du paysage antillais et répond à l'attente du lecteur ou du voyageur métropolitain : danses, musiques, palmiers, plages, négresses enjouées, tout un décor est planté, un mode de vie évoqué, à propos desquels on parle parfois de doudouisme (dérivé de doudou : chéri, en créole, C. 36).

La prise de conscience de la condition réelle de l'homme antillais a amené les écrivains, Césaire le premier, à rejeter cette façade séduisante et à condamner une conception très européenne, et finalement négatrice, de l'exotisme (« oh ces reines que j'aimais jadis aux jardins printaniers et lointains avec derrière l'illumination de toutes les bougies de marronniers », dit-il avec ironie, C. 52). Rompant avec une tradition illustrée au XXe siècle par Thaly ou Duquesnay, certains Martiniquais ont donné une saveur plus authentique à leur œuvre : ils ont fait appel au créole et aux réalités sociales sans pour autant renoncer à leur admiration pour la France, tels Gratiant ou Zobel. La révolution césairienne, parallèle à ce courant, trouve son origine, en France encore, dans la découverte de la parole créatrice d'un Lautréamont ou d'un Rimbaud, et, auprès d'autres écrivains noirs, dans la littérature haïtienne et son courant « indigéniste » et la « Black Renaissance » de Harlem.

■■■■■ INDÉPENDANCES

Haïti

La première revendication d'indépendance dans le monde noir fut celle d'Haïti qui, après avoir été colonie espagnole puis française, vit les esclaves se soulever, à la fin du XVIIIe siècle, sous la conduite de Toussaint-Louverture (1743-1803). Mais celui-ci dut capituler en 1802 devant les troupes de Bonaparte et fut exilé au fort de Joux, dans le Jura, où il mourut peu après. L'indépendance fut proclamée en 1804.

L'un des chefs les plus prestigieux d'Haïti fut le roi Christophe qui gouverna de 1807 à 1820. L'île et les deux héros ont beaucoup impressionné les peuples noirs au cours de l'histoire contemporaine, et en particulier Césaire qui, après la guerre, séjourna en Haïti et écrivit un livre sur Toussaint-Louverture et *La Tragédie du roi Christophe*.

La décolonisation (1944-1962)

Un siècle et demi plus tard, la décolonisation est l'un des faits marquants des années qui suivirent la fin de la guerre de 1939-1945 : elle fut le résultat des débats idéologiques d'avant-guerre, associant volontiers lutte anticoloniale et lutte des classes, puis de l'expérience des combats, de la défaite de la France, de la promesse de l'intégration progressive des peuples colonisés à une Union française (discours de de Gaulle à Brazzaville, 30 janvier 1944). Populations et intellectuels en vinrent à envisager une possibilité de modifier leur statut, sinon encore d'accéder à l'indépendance. Dès la fin de la guerre, les pays les plus éloignés de la métropole, l'Indochine en 1945, Madagascar en 1947, s'insurgèrent, avec des succès divers, peu après suivis par l'Algérie, en guerre de 1954 à 1962.

> Voici que meurt l'Afrique des empires – c'est l'agonie d'une princesse pitoyable / Et aussi l'Europe à qui nous sommes liés par le nombril

pouvait écrire Senghor vers 1944 (« Prière aux masques »).

En effet, un peu partout, des émeutes ébranlaient ce qui avait été l'Empire colonial français et des partis politiques s'organisaient. Le plus important fut le RDA (Rassemblement démocratique africain) créé par Houphouët-Boigny en 1946 et d'abord apparenté au Parti communiste français. L'Union française devint Communauté en 1958, à la suite d'un référendum auquel tous les pays colonisés répondirent « oui », à l'exception de la Guinée. Mais on ne pouvait arrêter le cours de l'histoire : dès 1960 presque tous les États sortirent de la Communauté pour accéder à l'indépendance complète, tout en restant associés à la France par des accords de coopération.

La Martinique
et la départementalisation

Pendant cette même période, la Martinique parcourut une trajectoire différente, dans le sillage de Césaire : animé par les mêmes sentiments anticolonialistes que les États africains, il suscita une vie politique intense et fut proche du Parti communiste français, puis il s'en éloigna lorsque l'impérialisme soviétique et les excès du stalinisme devinrent évidents. Il opta alors pour une politique d'assimilation (de « départementalisation ») qui valut aux Martiniquais les avantages appréciés et contestables de voir leur île transformée en département français d'outre-mer (DOM) et de devenir citoyens français à part entière, sans être pourtant moralement libérés de leur sentiment de colonisés.

C'est la raison pour laquelle, contre l'avis des partisans d'une émancipation plus radicale, Césaire préconisa de voter « oui » au référendum de 1958, avec l'espoir, vite déçu, que l'île s'acheminerait vers un statut d'autogestion, voire d'autonomie. La Martinique s'engagea à sa suite dans une politique de dépendance qui a assuré un niveau de vie élevé à l'île mais a laissé quelque amertume à ceux, intellectuels surtout, qui auraient préféré sacrifier un peu de leur bien-être quotidien au désir d'indépendance.

◾◾ LANGUE

La langue de la Martinique est le français, parlé avec un accent plein de charme, des expressions parfois archaïques ou bien pittoresquement empruntées aux traditions martiniquaises. Son bon usage est considéré comme un signe de promotion sociale. Ce fut le cas dans la famille de Césaire. Il faut pourtant savoir que le créole est, dans la plupart des cas, la vraie langue de la vie quotidienne. Ce « patois », comme disent ses détracteurs, est une langue parlée, née de la rencontre entre le français, les langues africaines des esclaves et les autres dialectes du creuset antillais. Il est significatif que Césaire qui le connaît bien se soit toujours abstenu de l'utiliser dans ses œuvres, à la différence de la génération des Chamoiseau, Confiant, etc. (voir p. 76) pour ne rien dire des écrivains de langue créole.

▬▬▬ MARTINIQUE
(géographie physique, économique et humaine)

Située à peu près à mi-chemin entre le tropique du Cancer et l'Équateur, la Martinique, longue de quelque 85 km et large de 30 km, a la dimension d'un département français (1 100 km^2). La forêt tropicale, au nord, couvre à profusion une région volcanique qui culmine avec la Montagne Pelée (1 397 m), dont l'éruption en 1902 fut particulièrement meurtrière. Au sud, les « mornes* » sont des collines d'épineux qui descendent doucement vers la mer. Bien irriguée, rafraîchie à l'est, « sous le vent », elle fournit en abondance des fruits tropicaux : bananes, ananas et surtout canne à sucre, introduite en 1639, dont l'exploitation est à l'origine d'un prolétariat rural de « coupeurs de cannes », exploités par les riches distillateurs de rhum. Peu industrialisée, de plus en plus tournée vers le tourisme, l'île a son centre économique et administratif à Fort-de-France.

La population est d'environ 400 000 habitants. Elle est très jeune en raison du fort taux de natalité et connaît un taux de chômage élevé qui explique un important flux migratoire vers la France. Elle est de nature composite, en majorité noire (90 % de Noirs – dits « Noirs-Guinée » –, et de mulâtres, métis nés de la longue présence des colons blancs). Elle compte aussi 5 % d'Indiens (« Indiens coulis »), main-d'œuvre venue au XIXe siècle suppléer à la défaillance des Noirs dans les plantations de canne, après l'abolition de l'esclavage, 3 % de Blancs métropolitains, 1 % de Blancs créoles. Ces derniers se divisent en deux groupes sociaux, les « békés », jadis riches planteurs entourés d'esclaves dans les « habitations », actuellement moins fortunés, mais toujours isolés dans leur sentiment aristocratique, et les « petits-blancs » parfois misérables.

Le pouvoir économique est peu à peu passé entre les mains d'une bourgeoisie libérale et commerçante de mulâtres, souvent dédaigneux des Noirs parce que, métis de Blancs et de Noirs, ils sont, comme dit plaisamment

Césaire, toujours désireux de « faire tomber leurs zébrures en une rosée de lait frais » (C. 59)[1].

▰▰▰ MARTINIQUE
(histoire)

L'histoire de la Martinique se confond avec celle de la colonisation. D'abord peuplée par les Arawaks, puis par les Caraïbes, l'île, découverte en 1502, fut occupée par les Espagnols qui décimèrent les indigènes. Aussi la main-d'œuvre faisant défaut, la traite des esclaves (voir p. 12) fut-elle autorisée par Charles-Quint, en 1517, puis par Louis XIII en 1642. Le Français Belain d'Esnambuc prit possession de l'île, sous l'égide de Richelieu, en 1635, mais jusqu'aux traités d'Amiens (1802) et de Paris (1814), l'histoire de la Martinique fut dominée par les rivalités entre la France, l'Espagne et l'Angleterre et jusqu'en 1848 par des révoltes d'esclaves, souvent cruellement réprimées.

L'abolition de l'esclavage ne mit fin ni à une situation d'exploitation coloniale ni aux grèves et émeutes de caractère socio-économique. Une politique d'«assimilation», à laquelle contribua Césaire, fut pratiquée par la France ; elle aboutit à la transformation de l'île, en 1946, en département d'outre-mer, géré par un préfet et, depuis la régionalisation de la France, par un conseil régional. La dépendance économique par rapport à la métropole s'en est trouvée accrue ; si le niveau de vie s'est sensiblement amélioré, la crise économique et morale n'a pas été résolue pour autant. Elle a donné lieu à bien des violences et à un antagonisme croissant entre Césaire, «patron» de l'île pendant un demi-siècle et les jeunes générations avides d'une plus grande indépendance.

---

1. Césaire compare ici les mulâtres, de sang mêlé, à des zèbres qui souhaiteraient perdre leurs rayures noires pour devenir blancs comme du lait.

3 Racines de l'œuvre

Le *Cahier*, conçu à partir de 1936, est l'œuvre d'un homme jeune qui s'interroge à l'aube d'une vie militante. Le *Discours*, écrit en 1950, est un témoignage vivant sur l'action que mène Césaire depuis quelque quinze ans. La confrontation entre ces deux écrits, celui du poète et celui de l'homme politique, montre que l'engagement dans les luttes idéologiques a contribué à modifier les instruments intellectuels et l'argumentation de Césaire. Celui-ci demeure pourtant fidèle à lui-même, homme de culture et de passion, dont l'œuvre s'est nourrie de la convergence, et parfois des contradictions, entre ses racines affectives, historiques et intellectuelles. On méconnaîtrait son apport en ignorant leur importance.

■■■■ LES RACINES AFFECTIVES

Dans la société antillaise la situation familiale de Césaire est paradoxale : il appartient à une famille de Noirs et non de mulâtres, mène une vie relativement aisée et moins misérable que celle du prolétariat de Fort-de-France (C. 18) ; sa mère est illettrée et rappelle physiquement l'esclave africaine des estampes, tandis que son grand-père, son père, fonctionnaires, sont à leur manière des notables. Un aïeul aurait été condamné à mort en 1833 à la suite d'une insurrection. Élevé dans un milieu rural, il ne parle guère que le créole hors de la maison, mais lit Hugo ! Sa singularité se précise au lycée : « J'étouffais littéralement parmi ces Noirs qui se sentaient blancs », confie-t-il. Déjà il regarde avec sévérité ce monde plein de contradictions et de compromissions. Il convient d'ailleurs en 1961 qu'il n'était pas « à l'aise dans le monde antillais, monde de l'insaveur, de l'inauthentique ». Idée également développée par son ancien élève Fanon, dans *Peaux noires, masques blancs* (1952).

Éloigné de son milieu d'origine par ses études sans pour autant accéder à la société mulâtre dont il observait le comportement avec mépris, l'adolescent se cherche, moins comme colonisé (à cet égard les choses sont vite nettes) que comme antillais. De là, dans le *Cahier*, à la fois son interrogation identitaire et le prophétisme des solitaires, le sentiment très fort d'une appartenance antillaise et le désir d'accéder, pour lui, comme pour l'île, à un autre mode de vie. De là aussi la satisfaction du départ, cette « trahison ».

■■■■■ LES RACINES HISTORIQUES

La communauté noire

La première surprise de Paris est peut-être pour Césaire la découverte, en dehors du microcosme antillais, d'une communauté noire. À son contact, il verra se transformer sa personnalité et pourra désormais ne plus s'enfermer dans son inquiète identité d'Antillais.

Les Antillais se réunissent vers 1930 dans le salon de Paulette Nardal, animatrice martiniquaise de la *Revue du Monde noir*. D'abord rebuté par le caractère un peu « bourgeois » de ces réunions, Césaire ne tarde pas à sortir de son isolement et à s'intégrer à la communauté noire. Au sein de celle-ci, un échange fécond s'établit entre Antillais – plus proches culturellement de la France et plus politisés –, et Africains (voir p. 11), moins aliénés par la colonisation. Dans l'unique numéro de *Légitime Défense* (1932), revue d'étudiants antillais, s'esquissent, derrière la polémique anticoloniale et le plaisir d'écrire, les traits d'une commune « mentalité nègre », contestée certes aujourd'hui, mais singulièrement réconfortante pour la génération de Césaire. Au même moment, la découverte de l'action exemplaire des écrivains noirs américains incite à prendre conscience de l'identité noire.

Le sentiment d'appartenir à une collectivité, souffrant de maux comparables mais forte des mêmes valeurs, s'impose alors. « Terminée la vie en vase clos », dit Damas à propos de l'*Étudiant noir* (fondé en 1935) et Senghor prononce en 1937 une conférence retentissante (publiée en 1939) qui fait la synthèse de « Ce que l'homme noir apporte ». Une telle prise de conscience invite à passer de la revendication anticolonialiste immédiate à une concertation humaniste et à une réflexion philosophique, qui, elle-même, converge avec une idéologie sociale : passant de la question de race à la question de classe, les écrivains noirs, dans un premier temps se sentent proches de tous les prolétaires, exploités par la société coloniale et capitaliste (C. 20). Ils feront route au côté du Parti communiste français pendant une vingtaine d'années.

Les enseignements de l'actualité

Homme ouvert sur le monde, Césaire n'ignore pas les réalités d'une histoire contemporaine particulièrement riche en événements et personnages exemplaires. Le poète et à plus forte raison l'homme politique sont autant d'« échos sonores ». Ils témoignent aussi bien du scandale du nazisme (D. 12) que de la guerre d'Indochine (D. 11), de la question noire aux États-Unis (C. 25), de l'antisémitisme (C. 20), des comportements sociaux (C. 36), des grands débats d'idées contemporains. Témoignages souvent allusifs, parfois difficiles à déchiffrer tant le cours de l'histoire en a relativisé la signification, mais qui du moins confirment que l'actualité est une des sources vives de l'œuvre césairienne, et font d'elle la parole d'un homme noir, engagé dans les complexités de son siècle au quotidien.

▬▬▬▬ LES RACINES INTELLECTUELLES

À Paris, même s'il se sent étranger à un monde qui l'ignore, Césaire en a, bon gré, mal gré, absorbé les valeurs culturelles : il ne manque pas de s'en imprégner plus profondément, dans le contexte universitaire qui est le sien. Cet enrichissement, à l'école de l'Autre, se concrétise dans trois directions principales : la culture classique, la littérature contemporaine, la recherche historique et ethnologique.

Culture classique
et philosophique

À sa formation « classique », Césaire doit une solide connaissance des lettres latines et grecques et un sens philologique de l'histoire de la langue. Cela explique son goût pour les archaïsmes, les latinismes ou hellénismes, si fréquents dans le *Cahier*, et pour les amples périodes oratoires du *Discours*. Mais il doit aussi beaucoup à la philosophie occidentale : il a lu Hegel, Nietzsche, Bergson, Freud. À ces deux derniers, il doit sa mise en question de la Raison, son intérêt pour les données immédiates de la conscience, comme complément de l'intelligence rationnelle ; à la lecture de Marx, ses options politiques ; à la Bible même cet incroyant emprunte parfois le ton narratif ou l'image signifiante[1]. Il n'oubliera pas ces modèles blancs, même lorsqu'il livrera ses batailles contre la culture occidentale, responsable du colonialisme.

Les apports de la littérature
contemporaine

La bataille surréaliste bat son plein vers 1930. Sans y participer vraiment, Césaire est proche de *Légitime Défense* qui adhère sans réserve au matérialisme dialectique de Marx et, sur le plan de l'expression, au « surréalisme auquel [...] nous lions notre devenir ». Il apprécie chez les Surréalistes le sens de l'action révolutionnaire, le refus du conformisme bourgeois, le goût de l'art nègre, les campagnes contre la guerre du Rif (qui, en 1926, opposa les populations du nord du Maroc à la France et à l'Espagne) et contre l'Exposition coloniale. Mais il aime moins leur appel au subconscient, à l'automatisme, à l'onirisme : la vie réelle a trop d'importance, pose trop de problèmes à ses yeux pour que le poète puisse se contenter d'être seulement à l'écoute de ce qui se fait, se dit en lui, sans qu'intervienne sa volonté : « Je crois que la poésie naît d'une certaine maturation. En général je porte les choses

---

1. Voir par exemple Job, 38,3 : « Ceins donc tes reins comme un brave », et C. 50 : « se ceindre les reins comme un vaillant homme », repris dans *Tropiques*, n°1.

très longtemps en moi, et puis elles sortent, et je les préfère. À ce moment-là, c'est de la poésie », dit-il bien plus tard.

En fait, l'influence des Surréalistes s'exerça sur lui de deux façons différentes. Une première découverte de leurs écrits, presque fortuite, fut surtout de caractère idéologique et culturel : Césaire trouva en eux des compagnons de route en vue du combat contre l'aliénation de l'Homme. De plus, il eut grâce à eux la révélation de certains poètes, de Lautréamont et de Rimbaud, surtout, dont il admira immédiatement le désir de changer le monde par la force de la langue utilisée comme arme explosive. Vint ensuite sa rencontre personnelle avec Breton, en 1942. Salué comme poète surréaliste et persuadé de « notre conception commune de la vie », Césaire publia un poème intitulé « En guise de manifeste littéraire » dans lequel l'écriture était plus manifestement surréaliste : l'image y était exploitée pour elle-même, presque indépendamment de la cause défendue. Breton l'avait-il persuadé que sa revendication en faveur du monde noir, si justifiée fût-elle, avait un caractère réducteur par rapport à l'ambition surréaliste ? Cette idée est nettement suggérée dans l'article qui servit de préface à l'édition de 1947 du *Cahier*. Sans doute, l'importance des points communs a-t-elle masqué un certain malentendu entre Césaire et les Surréalistes. Malentendu que confirme, a posteriori, son goût pour des poètes bien différents des Surréalistes. C'est ainsi qu'il aime Claudel et Péguy, dont il apprécie et reproduit parfois le grand souffle cosmique, le verset, apte à traduire toute la puissance sensuelle d'une vie sous-jacente.

Ethnologues, historiens et témoins

Dans les années de l'entre-deux-guerres, des écrivains-voyageurs occidentaux commencent à porter un regard neuf et sans préjugé sur le monde colonisé : les livres de Gide (*Voyage au Congo*, 1927), de Nizan (*Aden-Arabie*, 1931), de Céline (*Voyage au bout de la nuit*, 1932) ne témoignent pas seulement d'une curiosité à l'égard de l'Autre, mais aussi d'une réflexion sur la spécificité des civilisations que l'on sait désormais mortelles. Démarche qui s'inscrit dans la continuité de la pensée de Spengler, dont le *Déclin de l'Occident* (1917) est connu, avant même d'avoir été traduit en français. À la thèse d'un progrès continu des civilisations, donc d'une hiérarchie, s'oppose celle de leur inéluctable évolution vers leur déclin, et le postulat qu'à toute époque il existe une civilisation qui décline à force d'avoir progressé : tel serait le cas, au XXe siècle, de la civilisation occidentale. Celle-ci, portée au plus haut point de perfection technique par les États-Unis, vivement critiqués dans le *Discours* (« l'heure américaine », D.57), finira, selon Césaire, par s'effondrer ; par contre-coup, les civilisations noires, plus proches des réalités et de la vie, connaîtront un renouveau.

C'est à partir de ce postulat que s'expliquent la Négritude et la profusion de travaux – sur l'Afrique, en particulier – menés par des ethnologues et historiens. Il suffit de lire certains pages du *Discours* pour s'assurer que Césaire dispose d'une vaste information sur ces questions.

Le livre le plus important fut, sans doute, l'*Histoire de la civilisation africaine* de Frobenius, traduite en 1936, immédiatement lue par Césaire et dont Suzanne Césaire donna un long résumé dans le premier numéro de *Tropiques* (avril 1941). Cet autodidacte allemand (1873-1938) voulait étudier la genèse des différentes formes de culture à partir de données affectives, d'un certain rapport au monde et à l'essence des choses, et non d'une évolution rationnelle. Il s'efforçait moins d'expliquer que de comprendre l'âme africaine. Il transformait ainsi l'opposition Afrique / Europe en une opposition poésie / non-poésie, propre à justifier le comportement émotif d'un Césaire. Celui-ci recourt, en effet, à une perception immédiate de la Nature et s'oppose à la civilisation occidentale dans la mesure où celle-ci soumet la Nature à des lois qui lui sont étrangères.

Tout aussi importants furent les travaux scientifiques alors publiés par des ethnologues désireux de revaloriser les civilisations africaines (Delafosse, Rivet, Marcel Griaule, etc.). Tous mettaient en lumière le rôle créateur, dans la pensée africaine, de la Parole, « expression par excellence de la Force vitale » (Senghor).

Césaire et ses amis furent profondément impressionnés par de telles démarches qui aboutissaient généralement à une lecture esthétique et philosophique de l'Afrique.

4 Genèse des deux livres

■■■■ LE « CAHIER D'UN RETOUR AU PAYS NATAL »

Ce que l'on sait de la genèse du *Cahier* explique la relative difficulté d'interprétation de cette œuvre qui ne peut être lue que comme le long et fluctuant témoignage d'un itinéraire spirituel poursuivi durant une quarantaine d'années (voir p. 25). À la prise de conscience des problèmes posés par son retour à la Martinique, s'ajoutèrent probablement bien d'autres motivations : premières réflexions de Césaire sur le statut du nègre et du travailleur dans la société occidentale, échos des combats surréalistes et des nouvelles démarches de certains ethnologues. Enfin la crise morale qu'il connut, dit-on, entre sa vingt-deuxième et sa vingt-sixième année, fut peut-être en relation avec la difficile genèse de l'œuvre.

Écriture du *Cahier*

Senghor évoquant le pénible accouchement qu'est pour tout poète le passage de la parole au poème prend pour exemple le cas de son ami Césaire : « Le *Cahier d'un retour au pays natal* fut une parturition dans la souffrance. Il s'en fallut de peu que la mère y laissât sa vie : je veux dire la raison. Elle en resta marquée toute sa vie comme ces voyants que l'Europe enferme dans ses prisons-asiles, que l'Afrique continue de nourrir et vénérer, découvrant en eux les messagers de Dieu » (postface à *Éthiopiques*).

L'histoire du *Cahier* s'échelonne sur de longues années. Césaire aurait détruit des poèmes antérieurs, qu'il jugeait trop évidemment influencés par le lyrisme occidental.

Eut-il l'idée d'écrire le *Cahier*, après un an d'École normale supérieure, à l'occasion de son retour à la Martinique, le premier depuis cinq ans, durant l'été 1936 ? Il aurait voulu soumettre ses souvenirs de l'île natale à son regard neuf de jeune intellectuel militant. Mais selon d'autres hypothèses, la rédaction aurait été entreprise soit dès l'été 1935, en Yougoslavie, chez son ami Petar Guberina (qui préfaça l'édition de 1956), soit à son retour de ces vacances. La rédaction de la première version se poursuivit après son mariage, en juillet 1937, et pendant la grossesse de son épouse (il y mentionne les « yeux de coccinelles » de celle-ci et la naissance, en 1938, de leur premier fils, C. 45).

La publication

Le poème, publié en août 1939 par la revue *Volontés* (n° 20), sous une forme sensiblement différente de celle que nous connaissons, passa inaperçu, sans doute en raison de la déclaration de guerre et du départ des jeunes époux pour Fort-de-France, où ils devaient être nommés professeurs. S'il est vrai que, dans *Tropiques* (dont le premier numéro est daté d'avril 1941), Césaire continua à publier des poèmes, c'est uniquement après la rencontre « miraculeuse » de Breton, en avril 1941, qu'un nouveau pan du *Cahier* fut publié et sans doute écrit : il s'agit du texte, dédié à Breton, intitulé « En guise de manifeste littéraire » (*Tropiques* n°5, avril 1942) qui fut en grande partie intégré au texte initial du *Cahier*. Il est repris dans notre édition de référence, p. 69 à 75.

La première édition française en volume parut en 1947 chez Brentano's (New York, édition bilingue) et chez Bordas, à Paris, avec dans les deux cas une préface de Breton. Elle fut suivie en 1956 par l'édition de Présence Africaine, considérée comme définitive, avec une préface de Guberina, édition reprise en 1983, sans la préface. Ajoutons que Césaire a apporté quelques autres modifications à son texte, en 1976, lors de la publication de ses œuvres complètes (éditions Désormeaux, Fort-de-France), qui témoignent surtout de la permanence du dialogue du poète avec son œuvre poétique la plus significative.

LE « DISCOURS SUR LE COLONIALISME »

L'histoire du *Discours sur le colonialisme* est beaucoup plus simple. Césaire est, en 1950, une personnalité marquante de la France d'outre-mer. Il est souvent contesté par la presse métropolitaine en raison de l'impact de ses écrits poétiques et politiques. Il intrigue aussi en raison de son attitude déjà ambiguë par rapport au Parti communiste, alors au plus haut (28 % et 27 % aux Législatives de 1946 et de 1951, les deux meilleurs résultats de son histoire) et à la politique française dans les départements d'outre-mer (voir p. 17). Aussi, confie-t-il : « Un jour une revue de droite me demanda un article sur la colonisation, une revue qui croyait que j'allais faire l'apologie de l'entreprise coloniale. Comme on insistait j'ai répondu : d'accord mais à condition de me laisser dire tout ce que je pensais. [...] Alors j'ai mis le paquet et j'ai dit tout ce que j'avais sur le cœur. C'était fait comme un pamphlet et un peu comme un article de provocation. » Quoi qu'il en fût, la « revue de droite », *Réclame* publia, en 1950, le texte dans lequel Césaire reprenait, avec plus de vigueur, un certain nombre de points de vue qu'il avait déjà exprimés, en particulier à la Sorbonne, en 1948, à l'occasion de la « Commémoration du centenaire de l'abolition de l'esclavage ». Le texte fut repris, cinq ans plus tard en volume, par les éditions Présence Africaine, sous une forme un peu actualisée : quelques publications récentes étaient introduites dans le débat [1]. Le volume publié en 1955 valut au *Discours* le retentissement considérable qui fut ensuite le sien.

---

1. Voir en particulier la note des pages 34-35 relative au livre de Cheikh Anta Diop, *Nations nègres et Culture* (1955) et tout ce qui – p. 47-49 – concerne les articles récents de Caillois et de Piron.

5 Cahier d'un retour au pays natal : **analyse**

Une œuvre poétique obéit rarement aux impératifs de logique et de cohérence qui s'imposent à un essai ou même à un roman. On ne peut lire une œuvre aussi touffue et parfois déconcertante que le *Cahier* en essayant d'en dégager la structure logique. Mieux vaut la considérer comme le violent élan lyrique, le vertigineux défilement d'images, de cris, de contradictions qui ont permis à Césaire d'exprimer la complexité de ses interrogations d'homme. « Je l'ai écrit comme un anti-poème, confie-t-il. Il s'agissait pour moi d'attaquer au niveau de la forme la poésie traditionnelle française, d'en bousculer les structures établies. »

Ce que nous proposons ici, c'est d'aborder par plans successifs une œuvre dont la construction – et de ce fait la lecture – peuvent se comparer à celles d'une œuvre cinématographique.

████████ UN PROLOGUE A POSTERIORI (p. 7)

Le poème s'ouvre sur un prologue assez ambigu, que Césaire ajouta en 1947, comme pour suggérer au lecteur la signification personnelle durable du *Cahier*. Il peut, en effet, se lire comme une première évocation, à l'imparfait, de son passé antillais, ou comme le premier témoignage de ses sentiments au moment de sa reprise de contact avec l'île natale. « Au bout du petit matin... » (cette expression répétée une vingtaine de fois est lourde de l'inquiétude du voyageur encore abasourdi), le narrateur, qui intervient dès la deuxième ligne, est confronté aux représentants de l'ordre – la douane, la police –, associés à l'oppression coloniale, morale et religieuse.

Amertume

Il a la bouche amère et l'injure prompte et va peut-être, ici, renouer avec le rêve ancien des îles paradisiaques, « fleuve de tourterelles et [...] trèfles de la savane », que « les larbins de l'ordre et les hannetons de l'espérance » ont perdu. Rêve vain sans doute, et trop aisément réconfortant, qui lui apporte uniquement, il le sait, un calme menteur et les jeux d'une pensée qui trop agréablement nourrit le vent et délace les monstres. Et pourtant ce rêve est précieux dans sa modestie, lorsque, « de l'autre côté du désastre », au vingtième étage d'une maison insolente, imaginaire ou réelle, il s'oppose à un monde hostile qui pervertit les valeurs, rend la force « putréfiante », ignore le cycle des nuits et des jours et fait le « sacré soleil vénérien » (ou vénal ?).

De quel désastre s'agit-il ? Celui de l'Europe décevante ? de la Martinique aliénée ? Quand ? Jadis, avant le départ ? Aujourd'hui, au moment du retour ? Qu'importe ! Temps et espace vont s'entremêler. Ce qui compte, c'est l'affirmation qu'il existe un autre côté du désastre, où le rêve pourrait se confondre avec la réalité des Antilles, celle des tourterelles et de la savane (nom de la place principale de Fort-de-France). Le problème est posé, sur lequel Césaire va s'interroger, tel un écolier griffonnant sur son cahier.

Espoir

La dialectique du livre n'opposera pas, en effet, un là-bas rejeté et un ici retrouvé, à la manière d'un Du Bellay, revenant, « plein d'usage et de raison », dans son Petit Liré ; elle se fondera sur la difficile conciliation, en pleine lucidité, entre des paramètres en mutation constante : une île, une histoire, un espace, des hommes à l'identité ambiguë, voire décourageante, et un narrateur qui est à la recherche de sa propre identité et de son rôle éventuel. Au terme de cette sorte de psychothérapie collective, les mille aspects du réel auront été assumés, et faute d'une solution concrète, s'imposera, du moins, la certitude qu'il doit exister une solution. Du petit matin décevant face à l'île aliénée, Césaire sera passé à l'exaltation de la nuit cosmique, fût-elle « maléfique » (C. 65) : « Je préfère, encore une fois, marcher dans la nuit à me croire celui qui marche dans le jour », écrivait Breton dans *Nadja*, quelque vingt ans plus tôt. La parole est, dans le *Cahier*, au Prophète (au sens biblique du terme), plutôt qu'à l'homme d'action. Un prophète qui, à tâtons, explore son univers jusqu'au moment où, soudain, il entrevoit une lumière et s'écrie : « Mais quel étrange orgueil tout soudain m'illumine ? » (C. 44).

■■■■ REGARDS CONTRADICTOIRES SUR L'ÎLE (p. 8-20)

Successivement, comme pour opposer « la plage des songes et l'insensé réveil » (C. 8), et montrer « l'affreuse inanité de notre raison d'être » (*ibid.*), le poète nous propose deux approches de l'île.

Il n'y a « rien à tirer » de l'île

D'abord une sorte de délire poétique (C. 8-12), où s'entrecroisent en guise de paysages, des visions, d'un désespérant pessimisme, des Antilles, de la ville et des hommes : d'un côté, sur cette « fragile épaisseur de terre », la vieillesse, la misère et la maladie, d'un autre, une ville inerte et une foule « étrangement bavarde et muette [...] qui ne sait pas faire foule ». Indifférente aux statues de Fort-de-France susceptibles de l'émouvoir (C. 10) – celles de l'impératrice Joséphine épouse de Napoléon, de Schœlcher le « libérateur » (voir p. 12), du « conquistador » Belain d'Esnambuc (voir p. 17) –, cette foule est inhibée par le sentiment de la solitude et de l'absurdité de la vie quotidienne. La faim, la lassitude et la peur font que la « foule désolée sous le soleil » et la nature, également malade – impaludée –, se sentent bâillonnées. Elles semblent se replier dans un oubli stérile et muet : « il n'y a rien, rien à tirer vraiment » ni du morne aux « pansements d'ombre » et aux « rigoles de peur », ni du négrillon que harcèlent l'instituteur et le prêtre et qui demeure endormi « dans les marais de la faim » (C. 11-12).

Aussi cette vision panoramique de l'île dont les composantes n'ont cessé de s'entrecroiser débouche-t-elle sur une longue explosion verbale (C. 12) : « échouage hétéroclite », énumération de tous les maux physiques et moraux, cri de colère, expression du désespoir « germé de nos bassesses et de nos renoncements ». Cri d'autant plus amer que, tout au long de ce premier moment du poème, s'inscrit en filigrane la suggestion – au niveau du non-dit – de bien des possibilités : l'avenir pourrait être grandiose (C. 8), la ville pourrait croître du suc de cette terre, la foule pousser un vrai cri (C. 9), des valeurs s'exprimer et s'affirmer (C. 10), le pouls du morne battre, l'incendie éclater (C. 11), la voix du négrillon se faire entendre (C. 12). En un mot, le mal actuel est plus événementiel qu'essentiel. Et un jour la négraille pourrait se retrouver « inattendument debout » (C. 61).

Démystification d'une enfance martiniquaise

Vient ensuite (C. 12-20) l'appel à la mémoire, au renouement du cordon ombilical qui permet au poète, sur un ton parfois singulièrement apaisé et plus narratif, de revoir les joies anciennes, « notre maison » (C. 13) – en fait, celle de sa grand'mère –, le relief accidenté de la côte est (C. 14), l'affairement autour d'un Noël plus païennement antillais que chrétien (C. 14-15), avec les rythmes et les chants que « l'on chante comme dans un rêve » (C. 16) jusqu'à ce qu'on s'endorme, alors que vient « le jour velouté comme une sapotille » (C. 16).

Mais le réveil est amer : la ville à nouveau s'impose, plate, mesquine, avec son cortège de perfidies, de cours gluantes, de « vie prostrée » et d'ennui (C. 17), suscitant le souvenir (imaginaire dans le cas de Césaire) d'une autre maison, d'une vie de famille misérable, d'un père fantasque, d'une mère laborieuse, d'une case sordide, au cœur du bidonville, de « cette rue Paille », lieu de débauches et d'immondices sur lesquelles la mer s'acharne en vain (C. 19). Pire que la misère et la prostration, le sordide… Et pourtant, l'espoir s'inscrit encore timidement : « à force de la mordre [la mer] finira par la dévorer, bien sûr, la plage et la rue Paille avec »(C. 19-20).

■■■■ ILLUSIONS DU DÉPART, AMERTUME DU RETOUR
(p. 20-24)

« Partir »

Le départ de Césaire, naguère, pour l'Europe fut la nécessaire trahison, le saut dans l'inconnu d'un « devoir incertain qui se dérobe » (C. 20). Il se fondait sur deux superbes illusions : la volonté christique de se charger de toutes les souffrances de l'humanité (C. 20) et celle de s'imposer à la nature entière, par le pouvoir de la parole, fût-ce avec la violence d'un tigre (C. 21). Aux fantômes émanant d'un monde hostile et monstrueux, Césaire pourrait opposer « des mots assez vastes pour [les] contenir » (C. 21). Avec leur aide, il participerait, dans une communion cosmique sexuelle, à la nouvelle genèse d'une terre désormais libre et fraternelle (C. 22). Au terme de ces « générosités emphatiques », perçait l'espoir du retour d'un poète engagé – « car la vie n'est pas un spectacle » (C. 22) – vers un pays auquel sa parole servirait de verbe libérateur.

Désillusion du retour

Mais la désillusion, que l'on peut lire en contrepoint dans ces lignes, fut grande pour celui qui venait en conquistador : le « grand sauvage » (C. 23) a retrouvé la petitesse, géographique et morale, de son île, qu'il n'éclaire pas mieux qu'un ver luisant (une « noctiluque », C. 23). Aussi bien en vient-il à se demander s'il a le droit de se contenter d'être un porte-parole de la Martinique, « ce petit rien ellipsoïdal ». Mieux vaudrait céder à « la mâle soif et [à] l'entêté désir » et trahir à nouveau l'île, « ce rien [= l'île] pudique frise d'échardes dures » qui lui est comme une prison (C. 24).

■■■■ LA PRISE DE CONSCIENCE DE L'HOMME NOIR (p. 24-32)

Mais c'en est fini du doute et de la « Trahison » : Césaire se sent mandataire des nègres du monde entier, issus des « terres consanguines » (C. 25). Il est fort de leurs souffrances et humiliations, fort du sacrifice de Toussaint-Louverture (voir p. 13), le héros-symbole qui demeura seul contre la mort dans sa prison et fut vainqueur d'elle symboliquement. Il sait qu'au bout du petit matin, la splendeur du sang noir éclatera (C. 26). Au mépris de la raison, de la beauté, ces certitudes importées de l'Occident, elle s'affirmera par le recours à la folie, sur laquelle du moins peut se fonder la quête d'identité de l'homme noir (C. 28).

Revenant à une fusion cosmique avec la nature – les arbres, le Congo (C. 28) –, Césaire sent, dans un grand galop de violence lyrique, monter en lui le besoin démesuré d'assumer l'homme noir. Il acceptera tout ce que cet homme a de coupable, de provocant, de caricatural même (C. 29), aux yeux de la religion, de la morale, de l'histoire occidentales. Lançant les onomatopées d'un rituel magique (C. 30), il évoque d'abord les siècles de douleur, qui s'imposent sous la forme des trois images successives de lui-même, homme noir : enfant, captif et martyr (C. 30). Derrière eux se profilent peut-être les verts pâturages promis par tant de « negro spirituals ». Il pourrait, comme tant de Noirs Américains résignés, céder au « vent de la connivence ». Mais soudain les « cent ans de coups de fouet », subis dans ce « sale bout de monde », lui reviennent à l'esprit et le poussent à lancer un chant imprécatoire (C. 31) : dans un comportement nihiliste, il aboutit à « la seule chose au monde qu'il vaille la peine de commencer : / la Fin du monde parbleu » (C. 32).

▰▰▰▰ LE REFUS DES ILLUSIONS
(p. 32- 44)

Le poète aidera l'homme noir dans sa lutte

La haine proclamée et la destruction d'un certain ordre du monde pourraient-elles suffire à transformer la condition de l'homme noir ? Des pulsions contradictoires, véritable « impulsion satanique » (C. 32-33), s'expriment dans les pages qui suivent. Le scandale doit cesser : « je ne m'accommode pas de vous » (C. 33), et le poète s'avance, fort de ses mots menaçants qui expriment le réel et non plus comme naguère un exotisme illusoire (C. 34). On assiste à une nouvelle naissance du poète, qui a conscience d'être, la dernière chance pour son peuple. Aussi décide-t-il de choisir « un égoïsme beau » qui fera de lui le chantre de l'esclave de jadis et de l'homme noir d'aujourd'hui, bafoué, exploité jusque dans son art (C. 36).

Mais, devant la réalité, ce rêve tient du délire

Aussitôt qu'il songe à la réalité de l'île et au mensonge du soleil, ce « mauvais sorcier », il perçoit la folie de son rêve, « merveilleux entrechat [...] au-dessus de la bassesse » (C. 36). Qu'importent « les fientes accumulées de nos mensonges » (C. 36) ! À l'exaltation, il préférera le réalisme de la condition humaine : « je refuse de me donner mes boursouflures comme d'authentiques gloires » (C. 38). Loin du mirage prestigieux de l'Afrique (C. 38), il voit la vie médiocre, l'animalité, l'inaptitude congénitale de ses congénères à toute grandeur (« Ainsi soit-il. C'était écrit dans la forme de leur bassin », C. 39), la lâcheté même, qu'il a la stupeur de retrouver en lui-même, à la vue d'un nègre comique et laid, un soir dans un tramway (C. 40-41).

Amer de se découvrir semblable à la ville qu'il méprise, il convient alors qu'il a « généreusement déliré » (C. 42). Sans pitié pour le rêve ancien (qu'il évoque pourtant avec ferveur, C. 42), il consent, momentanément, avec une douloureuse ironie à n'être plus qu'un homme (« homo sum etc. », C. 39) abattu, tremblant « maintenant du commun tremblement » (C. 44), un de ces têtards abâtardis qui n'ont rien inventé et ne peuvent apporter que le témoignage de leurs souffrances et de leur aliénation (C. 44).

■■■■ L'ACCEPTATION DES RÉALITÉS (p. 45-56)

Dire l'apport fondamental de l'homme noir...

Le sursaut attendu ne manque pas de se produire, soudain, comme une illumination. Il est associé aux animaux totémiques[1], à la sensualité, à l'amour, à l'enfant nouveau-né, « qui ne sait pas que la carte du printemps est toujours à refaire » (C. 45), à une cosmogonie où le couple humain s'unit (à l'image du couple Lune / Soleil), à l'attente dans une douce profusion de « la forme non osée / que le ventre tremblant de la femme porte tel un minerai » (C. 46).

La naissance annoncée, plutôt que celle d'un fils, est celle de l'homme noir nouveau : sans renier la médiocrité, dénoncée (C. 44), il saura aussi rendre à la terre sa vraie dimension (C. 46); il deviendra l'homme d'une négritude enfin exaltée, fondée sur la chair, sur le mouvement et l'essence de toute chose (C. 47), sur l'unité du monde, retrouvée dans une parfaite concordance (C. 48). Au vain triomphe de l'homme blanc (C. 48), Césaire oppose le sens de la joie et de l'amour qui anime ces Noirs prétendument stériles. Prophète de leur génie, il entend se situer au carrefour de l'histoire de son peuple – père, frère, fils, mari, amant de « cet unique peuple » –, chargé de recueillir son héritage culturel et de l'initier à son avenir (C. 49).

Mais sa démarche révolutionnaire, le poing levé (C. 49), sera celle du vaillant homme de la Bible (voir p. 21), et dans sa défense de l'homme noir, il récuse sa propre haine, pour donner une portée universelle à son action fécondante. De l'île, enfin libre, il ne veut retenir que la belle image de la pirogue qui lutte superbement contre la mer, il ne veut entendre que l'appel du lambi* porteur de la bonne nouvelle (C. 51-52).

...en se confondant avec lui, tel qu'il est

Mieux, homme sans colère, il en accepte les lèpres et les boues répugnantes qui l'indignaient naguère, l'humilité devant la souffrance (C. 52), les instruments de torture, qu'il se plaît à énumérer (C. 53). En interpellant tous ces nègres dont il évoque la vie, il leur redonne une identité ignorée (C. 54). C'est seulement sur la présence, et non sur l'oubli ou la lecture rationnelle (C. 55), de ce monde

---

1. Animal totémique : animal considéré comme l'ancêtre, donc le protecteur du clan.

martiniquais, de son passé douloureux, de la laideur des « îles difformes » (C. 55) que se fonde la seule possibilité offerte au poète. C'est en acceptant sa propre négritude mesurée non en termes de race, mais « au compas de la souffrance » (C. 56) que celui-ci répond à son désir de destruction (voir p. 32). L'acceptation est le seul moyen de faire sa paix avec le monde (C. 54) : « j'accepte tout cela » (C. 56).

▪▪▪▪ VERS UN FINAL GLORIEUX (p. 56-65)

« Debout à la barre »

L'appel est entendu. Soudain, maintenant, le sang neuf se met à battre permettant au poète et à son pays, unis dans un même élan prophétique, de transcender la dimension terrestre. Ensemble ils accéderont « au-dessus de nous », au fonctionnement du cosmos, ils participeront, toutes races confondues, à une œuvre qui « vient seulement de commencer » (C. 57). Le jugement de Dieu (C. 58) s'accomplira – de la ferveur à la conquête –, si les hommes à venir ont du « sang d'homme », « des cœurs d'homme ». Avec allégresse, ils pourront inscrire le mal au compte du bien, comme l'annonce Éluard au même moment : les plaies ancestrales, la lâcheté environnante (C. 58-59), la démission du « bon nègre » de jadis qui, fasciné par l'impossible blancheur, « rosée de lait frais », acceptait aliénation et mépris comme expression d'une inéluctable fatalité.

La vieille image de l'homme noir disparaît (C. 60), de cette négritude si souvent évoquée dans une acception purement physiologique. Le passé lui-même est revécu, transfiguré : dans une vision lyrique le vaisseau négrier (C. 61), rongé de l'intérieur par sa cargaison humaine, s'élance allègrement vers l'avenir, indifférent à la torture. La négraille, enfin « debout », après avoir été si souvent représentée comme laminée par la vie, prend le commandement et change de cap, « en la dérive parfaite » (C. 62). « Et le navire lustral [s'avance] impavide sur les eaux écroulées. »

Au vent de l'espérance

La mutation est en train de s'accomplir, aux quatre coins de l'horizon (C. 62). Pourtant beaucoup d'actes symboliques demeurent en attente, « il y a encore une mer à traverser » (C. 63). Le meneur de jeu sera le Poète, « moi », mais non un homme confiant sa fragilité au « calme triangulaire » de Dieu et se contentant de « l'inégal soleil ». Il devra s'assumer en tant qu'« homme de la danse » (Senghor), en tant que nègre fier de l'être, et rejeter l'immobilisme de naguère.

Pour cela, au statisme du soleil, Césaire préfère symboliquement la dynamique du vent auquel – c'est pour lui une « nouvelle croissance » – il veut s'abandonner, jetant par-dessus bord égoïsmes, lâcheté, humiliations du passé, vaines consolations religieuses (C. 64). Renonçant à son attitude initiale de rejet (« va-t-en », C. 7), il en vient à désirer, dans l'embrassement du vent, se lier d'un lien fondamental à la communauté de la création. Il se liera au NOUS des hommes, d'abord, mais aussi à la nature, à la terre, au nombril du monde (C. 65), pour monter jusqu'au ciel, comme la Colombe de l'espérance, elle-même portée par le vent. Fort de cette confiance presque mystique qui l'anime désormais, il trouvera jusque dans « le grand trou noir » du désespoir, naguère menaçant, c'est-à-dire dans l'état présent de la Martinique et de la Négritude, dans le mouvement et l'immobilité du mal, comme une promesse de richesse.

Le *Cahier* s'achève, après tant de pessimisme, sinon sur la découverte d'une inaccessible certitude, du moins sur l'espérance, « imprimée en mon ancestrale cornée blanche » (C. 65), que tout finit par avoir un sens. Éblouissante certitude du regard de l'aveugle...[1]

---

1. La cornée blanche évoque peut-être le regard de l'aveugle, souvent perçu par la tradition comme un prophète. Le peuple noir, longtemps aveuglé par des siècles de souffrances, pourrait entrevoir l'éblouissante espérance, annoncée par la Colombe.

Discours sur le colonialisme : **analyse**

Typographiquement divisé en six composantes, une introduction, une conclusion et quatre « chapitres », le *Discours*, à la différence du *Cahier* a l'apparence d'un développement bien structuré et argumenté. En fait, le cheminement de la pensée n'est pas linéaire : la combinaison entre propos rationnels et explosions lyriques est si constante qu'une lecture analytique s'impose si l'on veut, dans un deuxième temps, mieux dégager les lignes de force qui le structurent.

■■■■ INTRODUCTION
(p. 7-10)

De façon abrupte, la civilisation européenne est présentée comme indéfendable pour n'avoir pas su résoudre le double problème du prolétariat et de la colonisation. L'accusation portée par Césaire, au nom des millions de colonisés qui désormais peuvent s'ériger en juges, est d'ordre moral : il dénonce l'hypocrisie qui veut masquer, sous un faux humanisme chrétien (D. 8), ce qui n'est que satisfaction de besoins économiques (D. 9) ; à la différence de la franche brutalité des premiers conquistadors, le « pédantisme chrétien » s'abrite derrière deux équations : *christianisme = civilisation* ; *paganisme = sauvagerie* (D. 9). À son avis, l'idée même que la colonisation aurait pu contribuer à faciliter un contact fécond entre peuples et civilisations a été perdue de vue au cours des siècles et l'Europe qui avait pour vocation de devenir un carrefour a négligé la cause de l'homme (D. 10).

LA COLONISATION, DANGER POUR LES UNS ET LES AUTRES (p. 11-23)

La colonisation est présentée comme aussi funeste pour le colonisateur que pour le colonisé.

– Elle déshumanise l'homme le plus civilisé (D. 11-18), dont elle fait un Hitler qui s'ignore, en l'amenant à admettre des abus de pouvoir qui, par un choc en retour, retombent inévitablement sur lui. Le triomphe du nazisme s'explique par la duperie d'un pseudo-humanisme capitaliste dont l'homme blanc s'est rendu le complice dans l'entreprise coloniale; mais, à force de bafouer les droits de l'homme, le Blanc n'a pas pressenti qu'en Europe même ses propres droits pourraient, à leur tour, être bafoués: de complice il est devenu victime (D. 13). Suivent des citations de Renan, le philosophe, de Sarraut, l'homme politique, du père Tempels, le chrétien, qui expriment le même mépris ou la même indifférence à l'égard des peuples sauvages (D. 13-15). Qu'une civilisation qui colonise est moralement malade et en route vers la barbarie, d'autres témoignages de bestialités militaires (D. 16-18) ne le confirment que trop.

– Quant au colonisé (D. 19-23), il voit disparaître les civilisations qui lui sont chères. Des rapports de domination se sont établis du fait de la colonisation que Césaire assimile à une *chosification* (D. 19). Aux prétendus bienfaits de la colonisation, il oppose le tourment physique et mental des hommes, la désorganisation des économies (D. 20), l'aggravation des tyrannies locales. Le colonisateur est venu dépouiller des sociétés – dont l'écrivain fait l'apologie sans réserve (D. 21) – de ce qui faisait leur valeur spécifique, indépendamment de toute morale ou idéologie hypocrites.

Refusant pourtant d'être considéré comme un passéiste «ennemi de l'Europe», Césaire nuance sa pensée (D. 22-23): l'Europe a apporté d'indéniables progrès matériels aux colonisés. Une «européanisation était en train» de se faire, de façon harmonieuse. Mais le processus a été brutalement accéléré par la mainmise d'une société capitaliste, préoccupée de ses seuls intérêts.

■■■■■ ABERRATIONS DE LA MORALE BOURGEOISE (p. 24-30)

La barbarie dont Madagascar et l'Indochine sont alors victimes résulte d'une dégradation de la morale bourgeoise (D. 24-25). Les premiers responsables en sont les députés, pris à parti, nommément, avec une extrême violence (D. 25). Ils ne sont malheureusement pas l'exception, mais l'exemple de la décadence d'une classe jadis révolutionnaire qui est aujourd'hui sans force, « les jarrets coupés » (D. 26). À l'appui de cette accusation, Césaire cite nombre de jugements : ceux de Lapouge sociologue, de Psichari soldat d'Afrique, de Faguet journaliste, de Jules Romain académicien, etc. (D. 26-29). Les uns et les autres, dans un style différent, affirment leur mépris pour les races inférieures, comparées à la race blanche, seule apte à commander, à bâtir une civilisation, à briller dans le champ scientifique et artistique.

À de telles sottises, s'oppose un nouvel éloge de « nos vieilles civilisations nègres », malgache, vietnamienne (D. 29-30) ; à nouveau Césaire précise qu'il n'est pas passéiste, ni amateur d'exotisme, mais qu'il désire un dépassement du passé comme du présent et l'avènement de la « société nouvelle », moderne et fraternelle (dont il trouve des exemples dans l'ex-URSS, D. 29). Il réaffirme, exemples à l'appui, que les peuples aujourd'hui colonisés, ont jadis montré leurs aptitudes (occultées par la volonté du capitalisme) à la culture, à l'art, à l'administration ; il rappelle à la bonne conscience bourgeoise, sourde à ce qui l'importune, que, de l'avis de Frobenius (voir p.23), « l'idée du nègre barbare est une invention européenne » (D. 30).

■■■■■ LES INTELLECTUELS, ALLIÉS OBJECTIFS DE LA BOURGEOISIE (p. 31-43)

À l'indignation succède une véhémente ironie : avec une violence verbale digne de Céline, Césaire met au ban de la société les « chiens de garde du colonialisme » et associe aux détenteurs du pouvoir politique et économique tous les intellectuels, « les endormeurs, les mystificateurs, les baveurs ». Tous ces gens-là, même s'ils sont de bonne foi, participent objectivement à une mauvaise besogne, à l'encontre du Progrès, et en faveur du colonialisme et du capitalisme (D. 31-32). Comment ne mettrait-il pas en cause le géographe pour qui les pays tropicaux tombent sous le coup d'une « malédiction géographique » ? le missionnaire dont l'intérêt pour la philosophie bantoue* sert à combattre le communisme ? les historiens et romanciers faussement objectifs ? les psychologues et sociologues qui condamnent le « primitivisme » au nom d'un rationalisme perverti ? (D. 32-33).

Aussitôt suit une démonstration précise et pleine d'ironie (D. 34-41), fondée sur l'examen de textes significatifs et destinée à démonter le mécanisme pervers de la pensée :

– du géographe Gourou (D. 34-35), dont la référence au bon colonisateur et à la civilisation supérieure est insupportable. Il a, certes, par ailleurs, le courage de dresser un bilan négatif de l'économie coloniale, mais il ne va pas jusqu'à rendre le capitalisme colonialiste responsable de cet état de fait ;

– du père Tempels (D. 36-37) qui, certes, est plein de sympathie pour la philosophie bantoue. Toutefois, en insistant sur le respect de l'ordre du monde qu'elle impose, il aboutit à faire du « Dieu bantou le garant de l'ordre colonialiste belge » ;

– du philosophe Mannoni (D. 37-41), l'ancien professeur de Césaire : à grand renfort de psychanalyse et de « tours de passe-passe », il dote les Malgaches d'un tel complexe de dépendance à l'égard du père et du colonisateur (associé à l'image du père) qu'ils en arriveraient à ignorer ce que peut être le désir de liberté ! Aussi leur révolte (1947) s'expliquerait-elle comme le résultat d'une névrose et d'une perturbation momentanée de l'imaginaire !

Dans tous ces cas, la perception intellectuelle des problèmes – l'idée – amène des esprits objectifs à perdre de vue la scandaleuse réalité de la brutale exploitation coloniale (D. 41), au point d'en arriver, comme Florenne (voir p. 46), violemment pris à parti, à tenir des propos franchement racistes (D. 41-43). Le chapitre s'achève sur le rappel solennel d'une loi de l'humanité qui veut que toute classe décadente – la bourgeoisie française est dans ce cas — soit appelée à « se déshonorer » (D. 43) avant de disparaître.

▬▬▬ LA PRÉTENDUE SUPÉRIORITÉ DE L'OCCIDENT ET L'HUMANISME VRAI
(p. 44-54)

Poursuivant le débat abordé dans les deux chapitres précédents sur la corruption morale de la bourgeoisie et sur le rôle des intellectuels, Césaire vient rompre un peu le fonctionnement dialectique du *Discours* : il consacre l'essentiel de ces dix pages à une digression sur Lautréamont et à une longue attaque en règle contre un article de Caillois, publié en 1955 dans *La Nouvelle Revue française*.

Baudelaire et Lautréamont

La société capitaliste est perçue par Césaire comme une bête féroce, même si elle est actuellement anémiée. Cette image lui rappelle un jugement de Baudelaire (D. 44) et surtout la condamnation portée par Lautréamont contre le « monstre quotidien ». S'arrêtant alors sur cet écrivain qu'il aime particulièrement (D. 45), il invite les lecteurs de Maldoror à renoncer à des lectures occultistes et métaphysiques. À l'entendre, l'ennemi stigmatisé par Lautréamont est déjà le capitaliste qui figure « dans quelque confortable conseil d'administration » (D. 46).

Caillois [1]

De toute façon, la bourgeoisie, même si elle a pu incarner le progrès, est, au regard de l'Histoire, responsable de toutes les formes de barbarie (au nombre desquelles, évi-

---

1. Caillois (1913-1978), sociologue français, fut un bon connaisseur de l'Amérique latine et dirigea la revue *Diogène*. Juge sévère de la société contemporaine, défenseur de la pensée rationnelle, il avait déjà été pris à parti par Breton dans son article de 1943 sur Césaire.

demment le racisme et l'esclavagisme); elle peut aussi être porteuse de la haine, du mensonge et de la suffisance qu'il reproche à Caillois, considéré comme le porte-parole de la bourgeoisie (D. 47-54). L'attaque, très violente, se présente comme un véritable débat entre les deux hommes. Elle est motivée par l'article où, après Massis[2] combattant pour la défense de l'Occident, Caillois avec une bonne conscience que dénonce Césaire, revendique pour le monde occidental seul l'aptitude à penser. Lévy-Bruhl[2], lui-même, s'exclame Césaire, avait pourtant fini par renoncer à considérer la « mentalité primitive » comme échappant à notre logique. À l'appui de son argumentation, Césaire rappelle alors que de nombreuses inventions non occidentales se sont imposées dans le passé (D. 50). Mais Caillois n'en a cure ! Bien pis, dans les domaines intellectuel et moral, celui-ci présente l'Occident comme respectueux de la dignité humaine (et... il veut ignorer la pratique de la torture en Afrique, D. 51) ; il veut être le défenseur de toutes les valeurs religieuses authentiques (et... il ne considère les religions africaines que comme de grossières pratiques religieuses de « type vaudou » D. 51) ; il fait l'éloge de la recherche ethnographique (et... il oublie que les musées dont il est si fier impliquent la mort ou le mépris des civilisations dont ils exposent les témoignages, D. 52). La supériorité de l'Occident étant posée en ces termes et l'infériorité des non-Occidentaux admise du même coup, Caillois peut, ironise Césaire, se donner le beau rôle : il peut inviter ceux qui « ont de plus grandes capacités » à assumer une « responsabilité accrue » en faveur des peuples qui souffrent d'une inégalité de fait,

---

1. Massis (1886-1970), écrivain français d'extrême-droite, s'était rendu célèbre par son combat en faveur de la civilisation occidentale, menacée par le reste du monde (*Défense de l'Occident*, 1927).

2. Lévy-Bruhl (1857-1939), sociologue français, étudia la vie mentale et religieuse des primitifs et aboutit à la conclusion qu'« il existe deux formes de pensée, l'une objective et rationnelle, l'autre, réservée aux primitifs, prélogique et mystique, ignorant le principe de contradiction ». Dans ses *Carnets*, publiés en 1949, il avait nuancé sa pensée et admis que la pensée mystique n'était pas réservée aux primitifs.

quelle qu'en soit la cause! Responsabilité de « diriger le monde »? se demande Césaire indigné (p. 53). L'attitude de Caillois lui semble, en effet, significative, caractéristique de l'incapacité de l'Occident à vivre cet « humanisme à la mesure du monde » dont Césaire fait son idéal de militant.

■■■■■ CONCLUSION (p. 55-59)

Toujours désireux de montrer les contradictions suicidaires de l'Europe, Césaire passe alors du concept d'humanisme à celui, bourgeois à l'origine, de nation. Il rappelle que la politique coloniale, à force de détruire les différences culturelles, tend à instaurer un monologue universel ; du même coup, elle renverse les remparts qu'offraient les autres civilisations à l'Europe elle-même. Elle suit en cela l'exemple de Rome qui, selon Quinet qu'il cite (D. 56), en orientant le monde vers une civilisation unique, a détruit les digues qui la protégeaient et facilité sa propre destruction par les barbares (D. 57). Les nouveaux barbares sont là contre lesquels il met solennellement en garde les Européens, en ce temps de guerre froide : « Attention ! », ces barbares ce sont les Américains, dont l'anticolonialisme tapageur masque la volonté d'imposer au monde une colonisation économique dont il est difficile de réchapper, tant elle a pour effet de violer, de broyer, d'aliéner l'homme (D. 58). La seule chance pour l'Europe réside dans une politique de « respect des peuples et des cultures », aidant au développement ou à la renaissance des nationalités. Politique qui est « l'affaire de la Révolution » et qui pourra être menée non par une bourgeoisie déshumanisée mais, en attendant « la société sans classe », par « le prolétariat ». C'est sur ce dernier mot et cette profession de foi marxiste que s'achève le *Discours*.

7 **Les thèmes** du Discours

Malgré la typographie, le *Discours* donne, à la première lecture, une impression de décousu. On y retrouve pourtant plusieurs lignes de force qui constituent les structures de ce qui est à la fois un pamphlet et un manifeste.

▮▮▮▮▮ LA COLONISATION ET LE COLONIALISME

Objet affiché du *Discours*, la question coloniale en constitue la trame la plus constante. Y a-t-il pourtant le débat théorique et historique que l'on attendrait ? Compte tenu de la personnalité du destinataire présumé (le lecteur occidental) et du moment (la décolonisation est en marche dans les années 50) le problème n'est pas envisagé dans sa totalité ; il est rarement posé dans une perspective historique (D. 8-9) ou didactique (D. 19-20). La colonisation existe : inutile de revenir sur le passé et de s'engager dans un débat sur les principes. Les faits sont là, implicitement condamnés par un homme qui ne vise pas à l'objectivité : à l'appui de ses affirmations, il multiplie les allusions aux actions anticolonialistes dans le monde et aux persécutions coloniales. Ces faits sont supposés connus du lecteur et non exploités dans le sens du pathétique ou de la révolte. Césaire n'a pas besoin de s'écrier ici, à l'intention des colonisés : « assez de ce scandale » comme il le faisait dans le *Cahier* (C. 32). En effet, sans que le problème soit encore résolu, ils en ont pris conscience : « les colonisés savent désormais... » (D. 8).

Le véritable débat porte sur deux points précis : en réponse au racisme ordinaire, Césaire fait d'une part l'apologie de l'identité, de la dignité et surtout de la culture du Noir dans les domaines où, précisément, l'Occident tend à le rejeter ; et d'autre part, en leur rappelant leur propre morale puis leurs intérêts à venir, il met en accusation les bourgeois qui ont permis et qui entretiennent le colonialisme. D'où le débordement du *Discours* de la critique anticolonialiste sur une critique sociale.

▄▄▄▄ CRITIQUE DE LA BOURGEOISIE

La critique de la bourgeoisie est présente de la première à la dernière page du livre, associée incidemment à une critique de ses alliés historiques, la civilisation chrétienne (D. 9, 15, 24, etc.) et l'armée (D. 16-17). Bien qu'elle ait été, souvent dans l'Histoire, un facteur de progrès et de libéralisme, la bourgeoisie est ici mise en accusation, exemples à l'appui : elle est, en effet, responsable de la permanence du fait colonial, et ce qui est sans doute plus grave, elle contribue à le justifier à la fois par hypocrisie et par «bonne conscience» (voir la diatribe contre Caillois, D. 47-54). Pervertissant le concept même d'humanisme auquel elle ne cesse de se référer, elle agit ainsi par sottise ou aveuglement (D. 30). Plus souvent encore elle fait preuve d'une soumission, intéressée et inavouée, au pouvoir économique du capitalisme (D. 22, 35, etc.). Ce faisant, elle contribue sans en avoir conscience, à sa propre régression, et elle court le risque d'avoir, comme au temps du nazisme, à supporter, sinon à susciter, la *chosification* (D. 19) qu'elle impose volontiers à autrui. Dans tous les cas, la décadence morale et matérielle de la bourgeoisie est inéluctablement liée au soutien qu'elle apporte à la colonisation.

▄▄▄▄ LES INTELLECTUELS ET LA CULTURE

Le *Discours*, à la différence du *Cahier*, veut donner à penser plutôt qu'à sentir. Ainsi s'expliquent, par l'objectif poursuivi et par la prise en compte du destinataire supposé, deux caractéristiques du fonctionnement du *Discours* : le nombre élevé de citations et l'importance accordée à un raisonnement relativement abstrait.

L'usage des citations

En multipliant les citations, Césaire entend s'appuyer sur un matériau que le lecteur cultivé ne saurait récuser puisqu'il émane de la société à laquelle il appartient. Sa thèse étant que le « parti intellectuel » est engagé comme caution sinon comme acteur dans le fait colonial, l'auteur ne fait pas appel à des intellectuels dont le témoignage irait dans son sens[1] ni, à plus forte raison, à des écrits de Noirs. En revanche, toutes les composantes de la société et de la pensée bourgeoises sont représentées dans un échantillonnage significatif : philosophes, sociologues, géographes, journalistes, hommes d'Église ou penseurs chrétiens, journalistes, militaires répondent à son appel.

Le choix même des écrivains est significatif. Le lecteur de Césaire sera d'autant plus sensible aux absurdités énoncées qu'elles émanent d'hommes dont les noms peuvent lui être familiers en raison de leur place dans l'échelle des valeurs culturelles : un Lévy-Bruhl, un Caillois, un Renan ou un Quinet, voire le sociologue raciste Lapouge ou le journaliste Florenne appartiennent à cette intelligentsia française que Césaire veut atteindre. Ils ont pour rôle, à partir de phrases bien choisies, de rendre perceptibles l'ignominie ou la sottise de cette société. La méthode est sans doute fastidieuse, mais efficace puisque, au banc des accusés, en flagrant délit, comparaissent d'éminents porte-parole d'une bourgeoisie dont indirectement ils illustrent l'inavouable consensus.

Le discours logique

On trouve, d'autre part, alternant avec des pages où Césaire s'exprime avec véhémence (voir p. 48-49), des raisonnements assez rigoureux qui ont pour but de retenir l'attention puis l'adhésion des intellectuels : au principe d'autorité ou aux sensibleries dont il sait la vanité, il préfère une méthode plus subtile consistant à introduire le lecteur dans le débat aussi discrètement et fermement que possible, sans didactisme excessif. Renonçant à la vio-

---

1. Frobenius (D. 30), Baudelaire et Lautréamont (D. 44) font seuls exception.

lence verbale, il a parfois recours à des formules du genre :
« il vaudrait la peine d'étudier... » (D. 12), « était-il inutile
de... » (D. 16) , « je sais tout ce qu'il y a de fallacieux... »
(D. 56) ; ou encore, en réponse à des propos qu'il rapporte
parce qu'ils lui semblent arbitraires, il cite des faits histori-
quement incontestables (ainsi à propos de l'esprit scientifique, D. 50 ; ou des faits de civilisation chez les peuples
colonisés, D. 30). Habile dialecticien lorsqu'il le veut, il a
retenu les enseignements des grands orateurs de l'Anti-
quité, toujours soucieux d'efficacité.

La bonne conscience
des intellectuels

Mais le but de Césaire n'est pas seulement de réfuter
les théories des intellectuels sur la colonisation. Indigné
par leur « bonne conscience » naïve, il s'adresse plus particulièrement à eux parce qu'ils sont, parfois sans le savoir,
la caution que se donne le colonialisme capitaliste. Les
mettre en face de l'évidence ne suffit pas : ils doivent aussi
découvrir le rôle que leur fait jouer une bourgeoisie, aussi
intéressée qu'eux-mêmes peuvent être naïfs. Les attaques
menées contre Caillois et Florenne répondent à ce désir
de démystifier la relation intellectuels / bourgeoisie : il
s'agit, en fin de compte, d'éloigner de cette bourgeoisie
ceux qui lui apportent leur caution intellectuelle, pour la
laisser seule face à sa sottise et à son égoïsme.

■■■■ LE MARXISME

En 1955, Césaire est encore membre du Parti communiste, même s'il est en désaccord avec lui. Une partie
importante du *Discours* s'inscrit dans le droit fil de la pensée marxiste, bien que Césaire ait l'habileté d'éviter la profession de foi. Ses liens s'affirment verbalement : attente
de la « Révolution » (D. 59) ; allusions à l'ex-URSS (D. 29),
à l'Afrique du RDA (voir p.14, D. 59) ; attaques contre
l'Amérique (D. 57-58) ; persiflages contre les hommes politiques de la IVe République (D. 25), contre l'Europe de la
démocratie chrétienne (D. 13), etc. L'idéologie est également présente : le combat anticolonialiste est, comme on

l'a vu, indissociable du combat contre le capitalisme, la bourgeoisie et, accessoirement, le christianisme et le militarisme. Son objectif est, après la disparition d'une bourgoisie décadente, l'avènement du prolétariat, dans une société sans classes (D. 59). À cet égard, le propos de Césaire reflète avec fidélité les discours de tous les militants communistes au moment des guerres du Viêt-nam et d'Algérie, auxquelles il ne manque pas de faire allusion : s'il exalte « l'admirable résistance des peuples coloniaux » que symbolise le Viêt-nam (D. 59), il ironise, à propos de l'Algérie, sur « ces authentiques marques de respect de la dignité humaine » que sont les divers instruments de torture (« baignoire », « électricité », etc.) (D. 51). Cette influence du marxisme explique que l'on passe peu à peu de propos destinés à défendre les peuples colonisés à l'évocation de la menace de colonisation économique que, selon lui, font peser les États-Unis sur la planète entière en ces années de guerre froide.

▬▬▬ L'ENGAGEMENT DE CÉSAIRE

On ne peut réduire le *Discours* à un débat dialectique et idéologique : il est aussi la prise de parole d'un homme, d'un écrivain profondément engagé, témoin passionné de son temps. La coexistence de deux comportements, l'un idéologique, l'autre personnel, lui donnent son allure de pamphlet.

Le témoignage

Leader politique martiniquais, député à l'Assemblée nationale, Césaire a l'habitude des règlements de compte : toutes les occasions lui sont bonnes pour agresser en les nommant, parfois en les insultant, ceux qu'il considère comme des adversaires : les députés socialistes et démocrates-chrétiens (D. 25), anciens partenaires des communistes dans un gouvernement à trois, les grandes compagnies pétrolières (D. 19), les CRS (D. 21), les universitaires timorés (D. 35), la Banque d'Indochine (D. 30). Il évoque aussi bien la construction du port d'Abidjan et du Congo-

Océan (D. 20), les révoltes coloniales, le colonialisme belge (D. 37) que l'Europe d'Adenauer (D. 13), les grands débats d'idées autour de Lévi-Strauss (D. 48, voir note), de Cheikh Anta Diop (D. 34, voir note), etc. La lecture en filigrane du *Discours* permettrait de retrouver un nombre considérable de ces petites informations qui font l'Histoire et qui risquent de demeurer inintelligibles pour un lecteur d'aujourd'hui.

La passion

Mais le tempérament de Césaire s'exprime aussi dans ces pages, en discordance avec l'apparente rigueur scientifique qu'il souhaite donner au message adressé aux intellectuels européens. Le sujet est trop brûlant pour que le poète puisse maintenir l'unité de ton qui conviendrait peut-être au politique.

Avec l'habileté d'un tribun, il sait manier l'injure, le sarcasme, l'ironie, la fausse bonhomie, les commentaires insidieux, l'éloquence contrôlée ou nuancée de familiarité, forme d'anti-éloquence. Il recourt aux néologismes truculents et percutants, au martèlement des idées, à l'apparente objectivité. Mais de tels procédés témoignent aussi de l'association entre poésie et politique qui est propre à Césaire. Ils rendent ce *Discours* complémentaire du *Cahier*, dans la mesure où, comme ce dernier, mais dans un rapport différent, il associe une écriture poétique et l'expression d'une idéologie et traduit les composantes fondamentales de la personnalité de l'auteur.

8 Une écriture militante

Césaire appartient à la lignée des prophètes, tels qu'ils s'expriment dans la Bible, et des poètes politiques qui, de Ronsard et d'Aubigné à Hugo, choisissent de recourir à une composition foisonnante. Pour faire entendre leur message, à un discours froidement scientifique, ils préfèrent l'image signifiante et la puissance du verbe. L'écriture césairienne, si elle traduit la brûlante complexité d'un auteur qui veut à la fois dire et se découvrir, sert en même temps de support, déroutant, envoûtant parfois, à l'expression d'une idéologie. Rien n'est gratuit ni complaisant chez Césaire : tout répond à une nécessité sous-jacente, même son désordre.

■■■■■■ UNE PROFUSION BAROQUE

Comment ne pas songer, lorsqu'on lit Césaire, à l'esthétique baroque dont le propre est d'essayer de traduire le sens du monde, sans renoncer à aucune de ses réalités ni de ses virtualités, de combiner une quête de cohérence au spectacle d'une permanente incohérence ? « Dieu écrit droit en suivant des lignes qui ne le sont pas », disait Claudel, citant un proverbe portugais. On pourrait l'appliquer à Césaire en songeant à son goût pour Claudel et Lautréamont. Ce que l'on sait de la genèse du *Cahier* montre assez que s'il « destructure » ses écrits, c'est par désir de totalité et non par inaptitude de l'homme noir à « composer » !

Le refus d'un certain ordre est évident : le but à atteindre ne passe pas par « une révolution dans les méthodes » (D. 59), mais par une prise de conscience globale excluant, à la limite, l'idée même de méthode. De là découlent les traits caractéristiques de la composition et de la tonalité des écrits de Césaire.

Dans le *Cahier d'un retour au pays natal*, les procédés de caractère baroque se multiplient : destructuration de la phrase (par exemple C. 34, « Et maintenant ») ; mélange des genres ; alternance entre vers et prose (C. 25-26), entre mode épique (C. 57) et mode satirique (C. 35), colère (C. 32) et rire (C. 20) ; accumulation et répétition (C. 45) ; changements d'interlocuteur ; jeu avec les temps, présent / passé, réel / imaginé (C. 39) ; successions d'épisodes, de sentiments apparemment contradictoires ; variations du comportement du narrateur jusque dans son rapport au récit et à l'homme noir, etc. Le lecteur est soumis à des suites de chocs, à des séries d'illuminations (au sens où Rimbaud emploie ce terme). Le réel, qu'en aucun cas Césaire ne veut immobiliser, « photographier », ne vaut pas pour lui-même (on notera l'absence de descriptions statiques de l'île) mais pour la tonalité affective qui lui est prêtée. La réalité en même temps que référence est surréelle, enrichie de toutes les possibilités qu'imagine le poète.

De même dans le *Discours*, se succèdent, on l'a vu, des aspects divers : scènes de comédie (D. 35), commentaires en aparté adressés ou prêtés à un interlocuteur imaginaire (« vous savez bien, voyons », D. 39), citations érudites et attaques personnelles, raisonnements rigoureux et cabrioles, cris de colère et constats lucides, pour ne rien dire des constants changements de style : autant de procédés qui laissent le lecteur abasourdi, initié à une réalité du monde qu'il aurait été tenté de contester s'il y avait été introduit, dans le *Cahier*, par un récit linéaire, ou dans le *Discours* par une argumentation logique. Violé dans sa bonne conscience s'il est blanc, dans sa résignation s'il est noir, il est mis en mesure de porter un nouveau regard sur le monde et de s'élancer à son tour à la quête d'un humanisme nouveau.

Il est significatif que les deux textes, également didactiques, se terminent non sur une certitude démontrée, mais sur un appel à la subversion du monde routinier, à la suite de la Colombe (C. 65) ou de la Révolution (D. 59). « Pour nous, le problème n'est pas d'une utopique et stérile tentative de réduplication, mais d'un dépassement » (D. 29).

L'IMAGINAIRE D'UN MILITANT

Bien que l'univers tropical soit réputé univers de profusion – « ordre, beauté, luxe, calme et volupté », disait Baudelaire –, les amateurs de cet exotisme que Césaire a rejeté ne trouvent pas à se satisfaire chez lui. C'est à Saint-John Perse plutôt qu'à Césaire, que le lecteur ira demander l'image des Antilles qu'il attend. Celles-ci ne sont d'ailleurs même pas mentionnées dans le *Discours*. Et pourtant l'île est, de façon sélective, une composante irremplaçable de son imaginaire, au même titre que l'Afrique encore inconnue lorsqu'il écrit le *Cahier* : de toutes deux, Césaire attend qu'elles jouent leur rôle dans l'édification et l'expression de son idéologie, rien de plus.

Sans doute, au hasard des pages, trouve-t-on, à côté de madras, de colibris, de pirogues, de plages, des mots désignant des réalités d'outre-mer (cayes*, morne*, lambi*, balafon*, filao*, kaïlcédrat*, etc.). Ils valent surtout comme caution : réalités et toponymes africains ou antillais s'imposent au poète comme matériaux d'un imaginaire construit pour répondre à sa quête d'identité et illustrer l'idéologie de la Négritude. Ils sont loin d'être l'expression spontanée de l'imaginaire obsédant d'un poète. Ainsi pourrait s'expliquer également, par-delà les interdits socio-linguistiques, le refus du créole, langue de la vie plutôt que de la pensée, que Césaire juge réducteur, lui reprochant de demeurer « au stade de l'immédiateté, incapable de s'élever, d'exprimer des idées abstraites ».

Le mal, la mort...

En fait, plutôt que sur des réalités ou des paysages, le rapport de Césaire au pays natal repose sur la dialectique bien / mal, blanc / noir, mort / vie. La lecture du *Cahier*, le retour vers « cette ville dans la crasse et dans la boue couchée » (C. 41) mettent en évidence l'importance du champ lexical de la maladie, avec une profusion de termes techniques qui vise peut-être à rendre plus indéchiffrable le malaise de l'île (alexitère*, chalasie*, chloasme*, escarre*, squasme*, etc.).

On associera au champ de la maladie son complément, le champ lexical du corps humain, présenté non dans sa beauté ni dans l'exaltation de la sexualité dont les occurrences sont rares et toujours négatives, mais dans ce qu'il a de souffrant (évocation des tortures et de la vie des esclaves sur le bateau négrier), de nauséabond, de comique et laid. Le portrait du vieux nègre est à cet égard très significatif : « un nègre hideux, un nègre grognon, un nègre mélancolique, un nègre affalé, ses mains réunies en prière sur un bâton noueux. Un nègre enseveli dans une vieille veste élimée. Un nègre comique et laid et des femmes derrière moi ricanaient en le regardant » (C. 41).

Laideur ambiante, médiocrité des hommes, « lassitude sanguinolente », quelles qu'en soient les origines, traduisent et justifient le sentiment de rejet que ne cesse d'exprimer Césaire devant le présent ou le passé des Antilles : l'île est clôture, la plage y est sordide, les oiseaux funèbres, les fleurs vénéneuses, les fêtes médiocres, la folie déchaînée, les hommes enfermés et à jamais marqués par l'esclavage, la mort « figée destin tenace » (C. 26) ; « les nègres-sont-tous-les-mêmes, je-vous-le-dis » (C. 35).

La vie , le vent...

Pourtant ce même homme noir, méprisable aux yeux du Blanc et méprisé dans un premier temps par le poète, se trouve au cœur d'un autre réseau de l'imaginaire, porteur de valeurs qui le font participer à la vraie vie. Aux images exprimant la douloureuse acceptation, l'enfermement résigné, s'oppose tout un réseau d'images qui ont en commun leur rapport à la vie : battements du sang, « chair de la chair du monde » (C. 47), bondissement, germination, ensemencement, mûrissement, printemps toujours à naître comme l'enfant et comme le poète lui-même, renouement du cordon ombilical, etc. « Et voici soudain que force et vie m'assaillent comme un taureau et l'onde de vie circonvient la papille du morne [...] et le gigantesque pouls sismique [...] bat maintenant la mesure d'un corps vivant en mon ferme embrasement » (C. 56).

Dans ce climat de naissance au monde, l'arbre prend une valeur exemplaire, non plus « l'accidentel palmier » (C. 14), mais l'arbre de « la forêt vierge et folle que je souhaiterais pouvoir, en guise de visage, montrer aux yeux indéchiffreurs des hommes » (C. 21). Il est perçu comme la promesse « des grandes communications », un « grand sexe levé vers le soleil » (C. 21), annonçant la liberté et la fraternité. À son image, dans l'attente des futurs vergers (C. 51), tout ce qui était petit va devenir grand (C. 28-29). Un itinéraire est tracé à partir du triste constat initial (« à force de regarder les arbres je suis devenu un arbre », C. 28), et la vie plus impétueuse jaillira du fumier « comme le corossolier* imprévu parmi la décomposition des fruits du jacquier* », C. 42). Ainsi se trouve annoncée la position souhaitée par le poète lorsqu'il invite la négraille à se mettre « inattendument debout » (C. 61).

Encore faut-il que cette révolution s'opère en association avec un grand mouvement cosmique : la grandeur de l'arbre ne suffit pas, il faut encore la force du vent et plus généralement de tout ce qui peut évoquer le mouvement, condition nécessaire à la renaissance de l'homme noir. À ce mouvement participent la mer (qui « frappe à grands coups de boxe », C. 19, et qui demeure toujours « à traverser », C. 63), les mots « qui sont des raz-de-marée » (C. 33), la pirogue qui « se cabre sous l'assaut de la lame » (C. 51) : tout le décor antillais est marqué par cette image d'un constant mouvement (« insurrection perlière », « plongeon d'îles », C. 45, etc.). Sous le vent de l'avenir, les îles deviendront cette « carène belle » que le poète caressera de ses « mains d'océan » (C. 55) : après bien des naufrages, on verra « le navire [négrier] lustral s'avancer impavide sur les eaux écroulées » (C. 62), au terme d'une navigation dont un autre riche champ lexical, nautique celui-ci, indique l'importance. Aussi est-ce sur un appel au vent, thème constant dans l'ensemble de l'œuvre césairienne, que s'achève le *Cahier*, au vent qui le dévorera pour lui permettre de mieux renaître « au nombril même du monde » (C. 65), au vent auquel il convie les Noirs à s'abandonner « […] saisis par le mouvement de toute chose / insoucieux de dompter, mais jouant le jeu du monde » (C. 47).

Vers le dépassement des antinomies

La dualité des images que nous venons d'examiner, images de mort et de vie, de mal et d'espérance a, au total, pour effet de rendre perceptibles les antinomies auxquelles se heurte Césaire et d'illustrer les deux options idéologiques qu'il entend assumer, celle de l'amer constat – le « recueillement » –, et celle de la marche en avant – « l'ensemencement » (C. 49). Cet imaginaire du *Cahier* trouve son prolongement, avec moins de richesse toutefois, dans le *Discours* sous la forme d'une thématique du carrefour, du contact, du dépassement des antinomies qui s'y exprime : « Nous ne sommes pas les hommes du « ou ceci ou cela » [...] mais d'un dépassement [...] C'est une société nouvelle qu'il nous faut » (D. 29).

▬▬▬ LA PAROLE PROPHÉTIQUE

Nul n'ignore l'importance de la parole dans les cultures négro-africaines : elle est à la fois véhicule d'une civilisation orale, et Parole créatrice dans la plupart des cosmogonies africaines. Elle joue ce double rôle chez Césaire : traduction immédiate du réel, elle a aussi pour mission de prophétiser l'avènement d'un monde nouveau. Du fait des circonstances, le lyrisme prophétique devient chez lui un acte politique, une première démarche révolutionnaire.

Le lyrisme de l'oralité

Césaire définit sa poésie comme « émotion première, prière et injonction, [...] profonde vibration intérieure » et il assimile son rythme à celui du tam-tam. Plus que par quelques onomatopées (C. 30), le caractère oral du discours est attesté par le martèlement des répétitions, souvent impératives (C. 45), par les interjections, les interpellations violentes, par l'ironie, les injures. En ce qui concerne la syntaxe, l'oralité se manifeste par la destructuration de la phrase, les anaphores (Au bout du petit matin...), les interrogations oratoires, les brusques changements du rythme, de l'ample verset à la simple interjection.

Césaire est orateur, et il sait user des procédés rhétoriques occidentaux, mais il est aussi un de ces maîtres de parole, un de ces griots africains, un de ces conteurs antillais qui fascinent, instruisent et réconfortent leur auditoire. Dans les deux textes, la présence de cet auditoire aussi fictif que réel s'impose : un « je » s'adresse à un « vous » ou à un « nous », Noirs, Blancs, également membres d'une collectivité » à laquelle le prophète doit délivrer son message.

La richesse du verbe

Du prophète, Césaire a le souffle et l'ambiguïté. C'est ainsi qu'outre une composition baroque (voir p. 50), il a recours à une langue savante, riche en latinismes et en archaïsmes rares, en néologismes surprenants, propres, par leur seule sonorité parfois, à égarer le lecteur (ainsi mentule*, C. 21 ; pouture*, C. 12 ; verrition*, C. 65 ; macrotteurs* » D. 31 ; dogonneux*, D. 31, etc.) ; il a recours aussi, dans le *Discours*, à de véhémentes accumulations de noms propres, inconnus ou presque du lecteur (savants, D. 30 ; hommes politiques, D. 25). Le mot semble se suffire à lui-même, moins comme signifiant que pour toutes les « correspondances » qu'il peut susciter : « des mots, ah oui, des mots ! mais des mots de sang frais, des mots qui sont des raz-de-marée et des érésipèles* et des paludismes et des laves et des feux de brousse, et des flambées de chair, et des flambées de villes... » (C. 33).

La véhémence

Du prophète, il a également l'invocation fervente, la véhémence imprécatoire, l'exaltation lyrique, l'imagination délirante : il ne s'agit pas d'argumenter, mais de frapper l'imagination ou d'imposer l'adhésion fût-ce au prix d'une bouillonnante série de mots (D. 31), d'injures (D. 25) ou d'une appréciation fielleuse (« descendons d'un degré », D. 13). Le but poursuivi est, sous les apparences d'un dialogue avec l'Autre – le mal, le blanc, le réel, l'intellectuel –

de ne pas laisser au lecteur la possiblilité d'entendre un vrai dialogue, tellement l'évidence sera éblouissante : il est invité à partager, la transe du prophète possédé par une force intérieure (« qui tourne ma voix ? qui écorche ma voix ? » C. 31), à entrer dans « la démence précoce de la folie flambante » (C. 27) et dans une sorte de danse rituelle (C. 64). Cet état, qui fait songer au déroulement d'une cérémonie vaudou, est traduit par l'abondance des termes appartenant au champ lexical de l'abandon de soi, de la dépossession, de la nouvelle naissance, de la rébellion contre un certain ordre et de la promesse d'une transcendance : « la force n'est pas en nous, mais au-dessus de nous, dans une voix qui vrille la nuit l'audience [1] comme la pénétrance d'une guêpe apocalyptique. Et la voix prononce que [...] » (C. 57).

Sur un autre diapason, dans le *Discours*, les exclamations, les interrogations oratoires (D. 41), les interpellations (D. 36), les élans de colère ou d'enthousiasme, qui pourraient aussi bien être mis au compte d'une bonne rhétorique, et qui servent surtout à apaiser l'esprit critique même s'ils semblent prendre en compte ses objections (« n'allons pas trop vite. Il vaut la peine de suivre quelques-uns de ces messieurs », D. 33), rappellent le sermon d'un prédicateur annonçant la Bonne Nouvelle, plus qu'un discours parlementaire.

Enfin, s'inscrivant dans la tradition orphique (voir p. 72), Césaire a surtout la certitude que la Parole est dotée d'un pouvoir créateur et assimile celui qui la détient à un démiurge.

Le poète rêve : « Je retrouverais le secret des grandes communications et des grandes combustions. Je dirais orage. Je dirais fleuve. Je dirais tornade. Je dirais feuille. Je dirais arbre. Je serais mouillé de toutes les pluies, humecté de toutes les rosées » (C. 21).

Le militant vitupère : « Donc, camarade, [...] balaie-moi tous les obscurcisseurs, tous les inventeurs de subterfuges, tous les charlatans mystificateurs, tous les manieurs de charabia » (D. 31-32).

---

1. « Audience » appartient au vocabulaire vaudou et désigne une réunion de caractère religieux.

Dans les deux cas, Césaire est animé par la même foi dans le pouvoir de la parole. Ce pouvoir s'exerce chez lui, comme chez la plupart des poètes-prophètes, aussi bien pour rejeter que pour promettre. Ce Prophète est un Rebelle qui, de son verbe puissant, condamne, raille, fustige, injurie. Il maudit le monde dont il annonce la Fin (C. 32) et les hommes qui contribuent à en assurer la pérennité, les Noirs par leur lâcheté, les Blancs par leur égoïsme, le poète par ses Trahisons. Il lui suffit de l'injure pour que la fin espérée devienne promesse, de même qu'il lui suffit d'invoquer la « Colombe » (C. 65) et la « Révolution » (D. 59) pour que celles-ci, dans une union cosmogonique, s'inscrivent dans le champ du possible.

Révolte et espérance

Le Rebelle est aussi Messie, « tête de proue » (C. 49). Il annonce un avenir où serait résolue l'antinomie du moi et du monde, de la nature et de l'homme, sur une « terre exorcisée » (C. 36), les yeux fixés « sur cette ville que je prophétise, belle » (C. 49).

Cette association entre esprit de révolte et espérance, reflétée par l'écriture de Césaire, rend compte de tout le jeu dialectique de l'homme politique. Elle permet de suivre les deux postulations entre violence destructrice et harmonieuse synthèse universelle. L'optimisme de Césaire doit pourtant être relativisé : le poète n'oublie jamais que si le mal, lui, est réel – souffrances du passé, bassesses du présent –, la marche en avant, si assurée soit-elle, est une démarche d'aveugle. Le jour est encore loin où il cessera définivement d'être « cet homme de haine pour qui je n'ai que haine [...] bêcheur de cette unique race », heureux de goûter « la succulence des fruits » (C. 50), au sein d'un « parfait cercle du monde et [d'une] close concordance » (C. 48). Au moment où il commence à peine à entamer le dialogue avec le monde réel de la Martinique, il demeure au total, plus proche du Rebelle que du Messie, de la violence d'un Damas que de la « Prière pour la paix » de Senghor.

9 Constats et propositions politiques

Tout en faisant entendre une série de cris de passion et de fureur, l'œuvre césairienne ne se limite pas à ses éclairs poétiques ou à ses élans prophétiques. Derrière le poète se profile l'homme politique et l'administrateur à venir. Son tempérament ne le porte pas, comme un Senghor, vers une redoutable et constante pratique de l'exercice dialectique et il procède plutôt en visionnaire. Il aboutit néanmoins à un certain nombre de constats et de propositions politiques qui permettent, dépouillés du prestige de l'image, de dresser le tableau d'une pensée politique cohérente.

■■■■■ LES CONSTATS

L'itinéraire césairien se fonde sur des constats complémentaires : les uns ethniques, mettant en évidence la condition de l'homme noir, les autres économiques et sociaux, mettant en évidence le fonctionnement de la société bourgeoise et capitaliste. C'est à partir de là qu'il dresse et explique le bilan négatif de la société contemporaine.

Condition de l'homme noir

Le fait historique de l'esclavage a été pervers pour l'homme antillais :
– D'une part, parce qu'il a laissé une marque indélébile dans l'imaginaire collectif, en raison des conditions inhumaines dans lesquelles la traite s'est opérée sur les navires négriers (C. 39, 61). De plus l'aliénation des esclaves eut pour effet une dévalorisation de l'homme noir, matérielle dans l'esprit des colons (« l'aune de drap

anglais et la viande salée d'Irlande coûtaient moins cher que nous », C. 39) et morale dans l'esprit du nègre lui-même. Réduit sinon à la condition des « bêtes brutes » du moins à celle des « assez piètres laveurs de vaisselle » (C. 38), celui-ci a accepté l'image du « bon nègre » qui admet avec résignation « qu'il n'avait pas puissance sur son propre destin » (C. 59), et s'efforce, pour échapper au mépris, d'être « tout simplement comme on nous aime » (C. 36).

– D'autre part, en quête de compensations, la mémoire collective antillaise s'est bercée d'« imaginations puériles », au nombre desquelles Césaire range le souvenir d'une légendaire gloire africaine désormais inaccessible (C. 38). Si l'Antillais a trouvé une échappatoire dans le rêve du passé, dans le recours à la sorcellerie (C. 38, 54 ; D. 51), il n'a pas imaginé un instant pouvoir, par ses propres forces, se doter d'une véritable identité. Renonçant à chercher son vrai nom (C. 54), il se contente de répondre à un « nom étrange » : Grandvorka ou Michel Deveine... (C. 54).

Et pourtant, cette grandeur mythique était bien réelle, évoquée dans le *Discours* : elle est celle de la réalité culturelle de l'Afrique-mère, et avec elle, du Tiers Monde. Il ne s'agit plus d'épopée ni de mythe, mais bien de culture artistique, scientifique ou philosophique (D. 30, 33, 50) et d'humanisme (D. 29), de formes de culture, en un mot, que le monde occidental veut ignorer et que, paradoxalement, par excès de mimétisme, le monde noir lui-même dédaigne.

Les colonisations

Cette situation d'aliénation physique et morale et de méconnaissance de la culture noire a pu transformer le nègre en « lyrique babouin entremetteur des splendeurs de la servitude » (C. 43). Tout au long du *Cahier*, Césaire évoque sans tendresse la résignation de ses semblables. Mais ils ne peuvent être tenus pour responsables d'un tel comportement. Soumis aux pressions successives, parfois simultanées, des colonisations matérielle, morale et économique, ils ne pouvaient être autres. Le *Cahier* à chaque page illustre les effets de cette oppression : l'atmosphère de maladie, de pourriture, le climat de misère, d'abaissement moral sont le résultat du sort qu'ont dû subir au cours des siècles,

> ceux qui se sont assouplis aux agenouillements
> ceux qu'on domestiqua et christianisa
> ceux qu'on inocula d'abâtardissement (C. 44).

Jadis esclaves de cupides conquistadors (D. 9), le *Cahier* les montre soumis à une société bourgeoise ; celle-ci les voue à la torture (C. 39, 53), à la misère collective (C. 19), les condamne aux « marais de la faim » (C. 12), au mépris (C. 40). Par le dédain (C. 59), elle les coupe de leurs racines culturelles pour leur imposer les siennes (C. 9-10, 12), elle les traite comme des jouets (C. 36) ou se plaît à les opposer les uns aux autres (C. 37). Ils appartiennent bien au prolétariat, à la race de « l'homme-famine, l'homme-insulte, l'homme-torture » (C. 20) que Césaire aspirait à rejoindre à son départ pour l'Europe.

Le combat pour la dignité et le bien-être, que le *Cahier* illustre dans un tourbillon d'images, est plus structuré dans le *Discours*. L'homme noir est un prolétaire et sa revendication celle de tout prolétariat : revendication d'une reconnaissance culturelle et morale, tout aussi précieuse que le droit de manger à sa faim. Que le combat soit mené contre une société coloniale ou une société capitaliste, ce que constate Césaire c'est que le mal, représenté à la fin du livre par la société de consommation américaine, trouve sa force dans la chosification (D. 19) de l'homme. Or toute forme de chosification est une forme de colonisation. Les combats anticolonialiste et anticapitaliste sont, en fin de compte, comparables.

▰▰▰ LES PROPOSITIONS POLITIQUES

À partir de ces constats – aliénation de l'homme noir associé au prolétaire, responsabilité de la colonisation associée à l'ordre bourgeois et capitaliste –, Césaire, dans une vision globale des problèmes, est en mesure de suggérer des solutions permettant de « changer le monde », pour reprendre la formule de Marx.

Une dynamique du refus

Le premier grief formulé par Césaire contre la bourgeoisie est que celle-ci a peur de la pensée (« l'idée, la mouche importune », D. 30). Cette constatation suffirait à justifier, pour lui, la violence verbale qui s'exprime dans les deux écrits : préalablement à toute construction idéologique, il opte pour un comportement agressif face à une situation scandaleuse. On le voit, dans le *Discours*, injurier tel ou tel homme politique, ou globalement tous ceux qui soutiennent le système colonial, ou encore mettre en évidence les aberrations des intellectuels. Dans le *Cahier*, il veut se conduire avec la vaillance d'un fondateur tout en conservant la cruauté d'un bourreau, « exécuteur de ces œuvres hautes » (C. 49-50), et il fustige également la lâcheté des Noirs ou l'égoïsme des Blancs. Dans tous ces cas, son attitude de refus est constante : il refusera la langue et la syntaxe communes, parce que, comme les Surréalistes, il voit en elles les supports d'une certaine société ; il refusera de cautionner cette société trop évidemmment fondée sur l'entretien du scandale, et il rêvera de faire exploser le monde dans un jaillissement d'images contradictoires et fulgurantes. Homme de « ressentiment », Césaire s'arme de « la foi sauvage du sorcier », d'une épée bien trempée et se conduit en « rebelle à toute vanité » (C. 49).

Le retour aux racines

À la vanité d'un monde dont il ne veut pas, Césaire oppose le génie de cet « unique peuple ». En effet, il ne préconise nullement une politique totalement novatrice qui ferait table rase de tout ce qui existe, mais il veut adopter une attitude de « recueillement » et d'« ensemencement » (C. 49). En dépit de ses défauts, la race noire est porteuse des qualités ancestrales. Encore faut-il le lui rappeler pour qu'elle prenne conscience de l'état d'indignité dans lequel elle est réduite et ne se réfugie pas dans le fatalisme résigné des vaincus. Tel est le rôle exemplaire que Césaire attribue à Toussaint-Louverture (C. 25-26), au roi Christophe (voir p. 14), et surtout à Lumumba (voir p. 10) : « À travers cet homme que sa stature même semble désigner pour le mythe, écrit-il, toute l'histoire d'un continent et d'une humanité se joue de manière exemplaire et symbolique. »

Dans son combat pour la Négritude (voir p. 65), c'est surtout la racine africaine du peuple antillais que privilégie Césaire. En rappelant l'horreur de la traite et les gloires passées, il veut assurément inscrire le présent dans une tradition épique – c'est le « recueillement » (C. 49) –, mais aussi rappeler à l'homme noir son appartenance à une lignée où il se doit de reprendre place – c'est « l'ensemencement » (C. 49). Aussi les valeurs africaines exaltées ne sont-elles pas seulement celles de la légende et de l'histoire, ni celles de la vie quotidienne collective, ce sont celles d'une tradition culturelle, d'une réalité scientifique et économique auxquelles Césaire se réfère dans le *Discours*. Ce sont là des données plus importantes aujourd'hui que le prestige légendaire des amazones du Dahomey ou des princes du Ghana (C. 38). Lui-même, « à force de penser au Congo » n'est-il pas « devenu un Congo bruissant de forêts et de fleuves » (C. 28) ?

Le retour aux racines préconisé ne sera pas passéiste : « ce n'est pas une société morte que nous voulons faire revivre » (D. 29). À partir des sources spirituelles, ce sera un moyen d'accéder au « secret des grandes communications et des grandes combustions » (C. 21), à un « temps de promission » (C. 31), annonciateur d'une nouvelle naissance (C. 32). Ce retour aux sources donnera accès au « nombril même du monde » (C. 65), au « parfait cercle du monde et close concordance » (C. 48). Cette mystique des racines s'exprime surtout dans le *Cahier*. Elle n'en est pas moins présente dans le *Discours*, lorsque Césaire oppose les apports culturels du Tiers Monde aux « sensationnels navets » (D. 30) de la culture européenne ou à l'exploitation malhonnête faite par le R.P. Tempels de la philosophie bantoue (D. 32, 36).

Un nouvel humanisme

Le paradoxe de ces écrits, soutenus par une étonnante violence, est que l'on voit s'y inscrire, en filigrane, un humanisme généreux, fondé sur le dialogue entre les hommes et les cultures et sur la confiance dans « les forces du Progrès » (D. 31). Césaire a été tenté par le

« cannibalisme tenace » (C. 27) et par le refus sans nuance
(« je ne m'accommode pas de vous », C. 33), mais il
connaît la stérilité de telles attitudes. Il veut aussi être
« homme d'initiation » (C. 49). Sans doute peut-on trouver
ici l'annonce de sa conduite politique ultérieure.

La défense de l'homme noir l'amène, en effet, à accepter les faiblesses de celui-ci, si amèrement détaillées, au
lieu de se laisser décourager ; elle l'amène également à
oublier tous les reproches faits à l'homme blanc : « j'accepte, j'accepte tout cela », s'écrie-t-il dans l'ample mouvement lyrique (C. 56) qui débouchera sur l'évocation d'une
« fraternité âpre » (C. 65). Il est, en effet, convaincu que
« l'œuvre de l'homme vient seulement de commencer [...]
et il est place pour tous au rendez-vous de la conquête »
(C. 57-58). Mettre les hommes « en contact » (D. 9), c'est
ce que la colonisation n'a pas fait. « Notre malchance a
voulu que ce soit cette Europe-là que nous ayons rencon-
trée sur notre route » (D. 22).

Reste l'espoir radieux, par-delà les luttes à venir, les
mers à traverser, d'une « société nouvelle qu'il nous faut,
avec l'aide de tous nos frères esclaves, créer, riche de toute la puissance productive moderne, chaude de toute la
fraternité antique » (D. 29). Et l'on voit le Rebelle prêt à se
faire le porte-parole de l'humanisme, bien que celui-ci soit
une valeur « inventée » (D. 55) par une bourgeoisie qui, au
demeurant, ne l'a guère pratiquée. Mais l'humanisme qu'il
prophétise est un « humanisme vrai, l'humanisme à la
mesure du monde » (D. 54). Car « il n'est point vrai que
l'œuvre de l'homme est finie » (C. 57).

La révolte débouche sur la lointaine espérance d'un dialogue entre les civilisations, empêché par la colonisation,
et sur la certitude que la poésie a un rôle à jouer dans cette révolte féconde.

10 Césaire et la Négritude

Le concept de Négritude implique, face aux problèmes du monde noir, une double réponse : idéologie de combat d'une part, retour à une histoire et à une pensée mythiques d'autre part. Mais les faits sont plus complexes et la Négritude se fonde sur des séries de contradictions et de débats dont on entend l'écho chez Césaire.

LA NÉGRITUDE ET SES IMPLICATIONS

Le mot

Le terme de Négritude aurait été « inventé » vers 1933 et l'on s'accorde à admettre que Damas, Senghor et Césaire furent les trois écrivains qui contribuèrent à en faire le mot-étendard de toute une génération de Noirs. Césaire aurait été le premier à utiliser le terme, dans *L'Étudiant noir*. Il est absent du *Discours*, peut-être parce que celui-ci s'adresse aux Blancs et que Césaire tient surtout à les convaincre que « l'Europe est indéfendable » (D. 7). Mais il apparaît plusieurs fois dans le *Cahier*, de façon passablement ambiguë. Il peut en effet, comme le veut l'étymologie, ne désigner que la nature de l'homme noir, sa couleur (« sa négritude même [...] se décolorait », C. 40), sa manière d'être sociale ou son appartenance ethnique (C. 59-60 : « la vieille négritude progressivement se cadavérise ») ; mais il peut aussi être associé à l'esprit de revendication culturelle et sociale qui se manifestera peu après l'apparition de ce néologisme. À propos d'Haïti (voir p. 13), le mot renvoie, chez Césaire, à un fait historique, la révolte des esclaves ; il évoque en même temps le comportement d'une collectivité qui s'est redressée, comme Césaire invite « la négraille » (C. 61) à le faire : « Haïti où la négritude se mit debout pour la première fois » (C. 24). Mais le terme de Négritude peut aussi être employé avec un champ sémantique beaucoup plus vaste. Dans le passage suivant, il exprime à la fois exigence morale, volonté obstinée de vivre et de lutter et rapport essentiel à la Création :

> ma négritude n'est pas une pierre, sa surdité ruée
> contre la clameur du jour
> ma négritude n'est pas une taie morte sur l'œil
> mort de la terre
> ma négritude n'est ni une tour ni une cathédrale
>
> elle plonge dans la chair rouge du sol
> elle plonge dans la chair ardente du ciel
> elle troue l'accablement opaque de sa droite patience
>
> (C. 46-47)

Les théories

• Solidarité et universalité

À la manière d'un poète, sans la rigueur de Senghor, Césaire retrouve à peu près, dans le *Cahier*, le contenu de la définition donnée par celui-ci : «La négritude est le patrimoine culturel, les valeurs et surtout l'esprit de la civilisation négro-africaine. » Mais Senghor et Césaire sentirent vite qu'une définition limitée à l'ensemble des valeurs culturelles de l'Afrique noire pouvait être réductrice. Ils ne tardèrent pas à donner à la Négritude, outre sa dimension négro-africaine, le sens d'une « présence au monde », d'une « vision unitaire de l'univers », impliquant comme double objectif l'association entre parole et réalité, et entre culture occidentale et culture nègre. Senghor parle ainsi de leur itinéraire commun :

> Nous étions des étudiants de Paris et du XXe siècle, de ce vingtième siècle dont l'une des caractéristiques est, certes, l'éveil des consciences nationales, mais dont une autre, plus réelle encore, est l'interdépendance des peuples et des continents. Pour être vraiment nous-mêmes, il nous fallait incarner la culture négro-africaine dans les réalités du XXe siècle. Pour que notre négritude fût, au lieu d'une pièce de musée, l'instrument efficace d'une libération, il nous fallait la débarrasser de ses scories et l'insérer dans le mouvement solidaire du monde contemporain (*Rapport au Congrès du Parti du rassemblement africain*, 1959).

• Un refus de l'aliénation

Césaire, de son côté, tout en acceptant les grandes lignes de la conception de Senghor, s'est souvent déclaré irrité, un peu comme les Africains anglophones, par l'usage abusif fait de ce mot : « mais puisqu'on l'a employé et puisqu'on l'a tellement attaqué, je crois que ce serait manquer de courage que d'avoir l'air d'abandonner cette notion », déclara-t-il dans son discours à André Malraux. Divergeant de Senghor, par tempérament et par idéologie, il se défend d'avoir voulu faire de la Négritude un concept philosophique. Il a récemment précisé ses motivations et, en même temps, insisté sur la tonalité proprement martiniquaise de sa démarche :

> ... nous étions dans un siècle d'européocentrisme exacerbé, d'ethnocentrisme fantastique qui avait bonne conscience. Personne ne mettait en doute la supériorité de la civilisation européenne, sa vocation de l'universel, personne n'avait honte d'être colonie [...] le colonisé acceptait tout à fait cette vision du monde, il avait intériorisé la vision que le colonisateur avait de lui le colonisé [...] Ainsi la Négritude c'était pour nous une réaction contre tout cela : d'abord l'affirmation de nous-mêmes, le retour à notre propre identité, la découverte de notre propre « moi ». Ce n'était pas du tout une théorie raciste renversée. La Négritude c'était pour moi une grille de lecture de la Martinique, un miroir. [...] Le grief martiniquais que nous voulions articuler avec quelque force, ce n'est pas tellement la misère physique, l'exploitation économique, même si cela existait, mais l'*aliénation* dans laquelle toute une politique a fait sombrer la conscience martiniquaise (*in* revue *Callaloo*, hiver 1989).

La différence de tempérament ne suffit sans doute pas à expliquer la différence de comportement à l'égard de la Négritude : la référence à la Martinique et à l'aliénation subie par l'île au cours de trois siècles de colonisation donne à ce passage sa tonalité césairienne. L'idée d'aliénation est obsédante dans la conscience antillaise, chez un Fanon, un Glissant, un Césaire, et aussi chez un Damas parce que cette aliénation a été plus durable, plus insidieuse qu'en Afrique. De ce fait, la violence verbale est infiniment plus grande et plus constante, de même que le combat est plus ambigu, le moi ayant été aux Antilles « métissé » et non simplement confisqué, ce qui est la forme la plus grave de l'aliénation, d'une aliénation sans retour possible à la case départ. De là aussi l'aspiration à une Afrique mythique, si puissante chez Césaire, mais aussitôt récusée : « Je refuse de me donner mes boursouflures comme d'authentiques gloires » (C. 38).

██████ SPÉCIFICITÉ CÉSAIRIENNE

Partagé entre la vision politique et marxisante de la Négritude et la recherche d'une philosophie au travers du mythe antillais et africain, Césaire traduit dans son œuvre la pluralité de ce concept. Centrés sur la lutte anticolonialiste, ses écrits en donnent les justifications historiques et idéologiques, et permettent en même temps d'entrevoir chacune des composantes philosophiques de son combat pour la culture noire.

Réhabiliter les cultures noires

Le point de départ de la démarche de Césaire est un refus, la dénonciation passionnée de l'esclavage et du colonialisme. Devant les plaies laissées par l'Histoire, il ne voit de solution que dans la réhabilitation de la culture noire. L'homme noir d'aujourd'hui a été, en effet, trop aliéné pour trouver en lui-même la force morale nécessaire, trop écarté des progrès de l'Histoire et de la pensée pour reprendre l'initiative. Que faire pour « ceux qui n'ont inventé ni la poudre ni la boussole / ceux qui n'ont jamais su dompter la vapeur ni l'électricité / ceux qui n'ont exploré ni les mers ni le ciel » (C. 44) ? Ne pas leur reprocher d'être devenus ce que la destinée a fait d'eux, mais les accepter pour ce ce qu'ils sont – des hommes formés par la souffrance, « ainsi soit-il » (C. 39). Le rappel de leur passé doit servir de preuve a posteriori qu'ils sont aptes à penser (D. 50), à avoir une économie harmonieuse (D. 20), à se gouverner (D. 21). Il doit surtout leur redonner conscience du fait qu'ils sont porteurs d'un patrimoine intellectuel : ils ont un profond rapport au monde, ces hommes « ignorants des surfaces mais saisis par le mouvement de toute chose / insoucieux de dompter, mais

68

jouant le jeu du monde / [...] poreux à tous les souffles du monde » (C. 47). Qu'ils sont pitoyables, à côté, « nos vainqueurs omniscients et naïfs ! » (C. 48).

Penser l'avenir

Il ne s'agira donc pas de se réfugier dans un refus systématique, de se replier vers l'exaltation stérile d'un passé glorieux (C. 38), ni de vouloir faire revivre une société précoloniale (D. 29) : celle-ci s'est, au demeurant, trop bien accommodée de l'action colonisatrice (D. 22). Ce comportement rétrospectif serait tout aussi aliénant. S'il est vrai que pour Césaire « la voie la plus courte vers l'avenir est toujours celle qui passe par l'approfondissement du passé », il a la lucidité de tirer les leçons d'un échec devant l'Histoire.

D'une part, cet échec, au plan de la culture scientifique et du progrès social est évident : il appartient donc à l'homme noir d'apprécier les « évidents progrès matériels réalisés dans certains domaines sous le régime colonial » (D. 22). D'autre part, il ne doit pas se laisser enfermer dans les résignations d'une société colonisée, car « c'est une loi implacable que toute classe décadente se voit transformée en réceptacle où affluent toutes les eaux sales de l'histoire » (D. 43) : l'Europe est appelée à connaître le même destin. « Voici que meurt l'Afrique des empires c'est l'agonie d'une princesse pitoyable / Et aussi l'Europe à qui nous sommes liés par le nombril », écrivait Senghor, pendant la guerre. Le monde blanc est « las de son effort immense » (C. 48), et le moment semble venu, dans une perspective marxiste, où forts de leurs qualités propres, assumant leurs griefs réciproques, Noirs et Blancs pourront s'associer pour lutter contre les « raideurs d'acier bleu » (C. 48) de la civilisation américaine, « la seule domination dont on ne réchappe pas, parce qu'elle ne connaît que la machine à écraser, à broyer, à abrutir les peuples » (D. 58). En un temps où « la terre déserte davantage la terre » (C. 46), le monde a besoin de la conjonction des forces que représentent l'efficacité scientifique du monde occidental et la tradition culturelle de ceux « sans qui la terre ne serait pas la terre » (C. 46).

Favoriser une sagesse universelle

C'est ainsi que, à partir du scandale d'un fait historique (la colonisation), de ses effets psychologiques (l'aliénation), culturels (l'acculturation) et matériels (la misère), Césaire dépasse une certaine conception de la Négritude : le rôle de celle-ci n'est ni d'enfermer le Noir dans sa condition ni de faire miroiter la trompeuse promesse d'un rêve réalisé ou retrouvé. La conscience de la douleur impose, d'après lui, la violence de la révolte et justifie l'exaltation du passé et des qualités propres à la race noire. Elle l'invite aussi à adopter une attitude constructive : l'opposition entre monde noir et monde blanc étant, de toute façon, inscrite dans la réalité, autant vaut, sans oublier les antagonismes, favoriser le dialogue des civilisations et l'avènement d'un métissage culturel, d'une « civilisation de l'universel », forme moderne de l'humanisme.

Derrière sa violence verbale se profile une conception lucide de la Négritude, moins messianique que politique. Écoutons plutôt Césaire en 1971 : « Je suis Nègre, [...] et me sens solidaire de tous les autres Nègres [...]. Mais si la négritude consiste à vaticiner, eh bien non, parce que je crois effectivement qu'il y a la lutte des classes, [...] des éléments philosophiques, etc. qui doivent nous déterminer. Je refuse absolument une sorte de pan-négrisme idyllique. [...] Par conséquent la négritude, je ne la rejette pas, mais je la regarde d'un œil extrêmement critique. Et dans la critique, il y a [...] lucidité et discernement. Et ne pas tout confondre. En plus, ma conception de la négritude n'est pas biologique, elle est culturelle et historique. »

L'œuvre de Césaire est assez composite et assez engagée pour justifier des lectures diverses et répondre aux
préoccupations de chacun de ses lecteurs. Nous allons
évoquer ici certaines de ces lectures, tout en rappelant
que le sujet majeur, reconnu de tous, demeure le problème posé par la condition du Noir et par le statut colonial.

LECTURES SURRÉALISTES

Le *Cahier* fut d'abord célébré par les Surréalistes qui ne
pouvaient manquer d'apprécier la violence d'un pamphlet
anticolonialiste. Pourtant, Breton déclara dès 1943 que
« ce serait réduire [...] la portée de l'intervention de
Césaire que de vouloir s'en tenir à [la] revendication contre
le déni de justice dont a été victime la communauté
noire[1] ». L'objectif des Surréalistes était, en effet, de
dépasser les combats ponctuels, et d'agir sur le monde
par le moyen de l'écriture.

Aussi Breton fut-il enthousiasmé lorsqu'il découvrit que,
dans un monde sclérosé, « le premier souffle nouveau,
revivifiant, apte à redonner toute confiance [était] l'apport
d'un Noir ». La langue de Césaire lui apparut comme novatrice, apte à établir, « comme en se jouant, les contacts qui
nous font avancer sur des étincelles ». L'écriture césairienne lui sembla « belle comme l'oxygène naissant », capable
de produire la liberté, « à partir des matériaux les plus
déconsidérés, parmi lesquels il faut compter les laideurs et
les servitudes ».

---

1. Le texte de Breton, écrit en 1943, publié dans *Tropiques* n° 11,
en 1944, figure dans l'édition Présence Africaine du *Cahier*
(p. 77-87).

Cette manière d'appeler à la liberté par le moyen de la poésie permettait d'autre part à Breton d'apprécier un deuxième aspect de la démarche césairienne. Son combat contre la raison (C. 27) donnait une valeur universelle à son témoignage : « C'est un Noir qui est non seulement Noir mais *tout* l'homme. » L'intérêt de la revendication de Césaire se trouvait pour Breton dans la rencontre entre l'universalité de son message et son « génie verbal ». La protestation contre le sort fait « aux Noirs dans la société moderne » devient protestation contre « la condition généralement faite à *l'homme* par cette société ».

C'est le lyrisme exaspéré et la portée universelle de la révolte qui, chez Breton et au même moment chez Péret, suscitèrent l'approbation bien plus que le thème révolutionnaire de la Négritude.

▪▪▪▪▪ LECTURE DE SARTRE

Senghor publie en 1948 une *Anthologie de la nouvelle poésie nègre et malgache* introduite par une longue préface de Sartre, « Orphée noir », premier texte critique important consacré à la littérature négro-africaine.

Sartre qui joue alors un rôle de premier plan dans la vie intellectuelle française se réfère à la légende d'Orphée[1] pour situer la Négritude, manière noire d'« être-au-monde ». Notion existentielle, elle est un état de tension entre un passé inaccessible et une quête de valeurs nouvelles, en particulier celles de la Révolution et du prolétariat. Pour Sartre, le cas de Césaire est significatif : à la recherche de l'île natale, son Eurydice, le poète est condamné à ne la retrouver que dans son désir, « négation radicale des lois naturelles et du possible, appel au miracle ». Sans nier les rapports entre Césaire et le Surréalisme, Sartre voit en lui le poète en qui « la grande tradition surréaliste s'achève,

---

1. Orphée avait le pouvoir d'émouvoir le monde, même les pierres, par son chant poétique. Il parvint à attendrir la mort qui lui avait ravi son épouse Eurydice et fut autorisé à ramener celle-ci sur la terre. Le lyrisme orphique, dont on entend l'écho chez Nerval et Rimbaud, attribue au Poète, par la force de l'Esprit et de la Parole, le pouvoir de se fondre avec le monde et de renouer l'unité brisée de celui-ci.

prend son sens définitif et se détruit ». « L'originalité de Césaire est d'avoir coulé son souci étroit et puissant de nègre, d'opprimé et de militant dans le monde de la poésie la plus destructrice, la plus libre et la plus métaphysique. [...] Les mots de Césaire ne décrivent pas la Négritude, ne la désignent pas [...] ils la *font*. »

Au total, Breton voyait surtout dans le *Cahier* un jaillissement spontané de nature surréaliste jusque dans son engagement idéologique, et il considérait que cet engagement aboutissait à l'universalité par le moyen de l'écriture. Sartre de son côté, tout en reconnaissant l'éclat exceptionnel de l'écriture, voyait surtout en Césaire un écrivain engagé mettant son écriture au service de l'idéologie, dans un combat en faveur de la race, et, au-delà, de la Révolution. Le *Discours*, avec son orientation à la fois anticolonialiste et marxiste allait, presque au même moment, apporter une sorte de confirmation aux thèses de Sartre.

██████ CÉSAIRE ET LES AFRICAINS

Si l'on en juge d'après le nombre de publications qui lui ont été consacrées, c'est en Afrique que l'œuvre de Césaire a suscité le plus grand intérêt. Elle y est aujourd'hui parfois contestée, comme le sont la Négritude et l'œuvre de Senghor : c'est une « affaire de générations » disait Tchicaya U'Tamsi. On retiendra pourtant que, durant un quart de siècle, l'œuvre de Césaire a été considérée comme l'une des références majeures de la poésie, de la pensée et de la politique de l'Afrique indépendante. La protestation de Césaire contre le colonialisme et le racisme concernait au premier chef des pays accédant à l'indépendance, après avoir été victimes de l'exploitation coloniale.

Rares pourtant sont ceux qui comme Senghor, dans son *Anthologie*, ont envisagé les problèmes d'écriture que pose l'œuvre. Et Senghor lui-même, tout en étant sensible aux « images qui frappent parce que images qui chantent », ne s'attache guère à l'aspect formel, aux rythmes, à la musique, au traitement de la phrase et du mot. Il voit, certes, en Césaire un surréaliste et un poète noir, mais constatant que celui-ci réconcilie le poète et le politique, il donne aussi une interprétation marxiste de sa démarche :

> Comprenons Césaire, le *Blanc* symbolise le Capital ; comme le *Nègre* le travail. À travers les hommes à peau noire de sa race, c'est la lutte du prolétariat mondial qu'il chante contre la dictature des pions et des banquiers. Poésie personnelle s'il en fut jamais, poésie raciale, mais gonflée d'un amour tyrannique pour tous les hommes ses frères (*Anthologie, op. cit.*, p. 55).

Un peu plus tard, en 1954, dans une lecture globale (et senghorienne !) de la poésie négro-africaine, il rappellera que, chez Césaire, « les images sont plus qu'ambivalentes : *multivalentes* », que « chaque image y vit de sa propre vie », et que le rythme, traduit plus particulièrement par les répétitions, y demeure fondamental.

De façon plus générale, l'incontestable succès du *Cahier* et du *Discours* en Afrique s'explique par deux raisons principales : d'une part, le lecteur africain a un rapport à la langue, aux rythmes et aux images plus immédiat, moins contrôlé par la raison, que le lecteur occidental ; et d'autre part, le message anticolonialiste, le débat entre Europe et Afrique, l'évocation d'une culture et d'un passé communs à l'Afrique et aux Antilles sont perçus comme autant de témoignages du « grand cri nègre » répercuté d'une rive à l'autre de l'Atlantique. Comme l'a écrit Dorsinville, écrivain haïtien installé au Sénégal :

> Le philosophe et poète Césaire ne peut être dilué dans un humanisme vague. Il veut l'universel, mais ses entrailles sont noires, et sa recherche est noire, orientée, après le cri, vers une explication par les mythes ou l'Histoire, vers une patrie [...] non conçue comme un îlot perdu, mais comme un monde noir global, digne, beau, respectable, orgueilleux, une citadelle.

■■■■■ CÉSAIRE ET LES ANTILLAIS

Sensibles au rayonnement personnel de Césaire et heureux de voir leur poésie échapper, grâce à lui, à un exotisme figé, les intellectuels et écrivains antillais furent d'abord unanimes à saluer le novateur fécond. Le *Cahier* fut « le livre de bord de toute une génération » a écrit, en

1980, le poète haïtien René Depestre dans son livre au titre significatif : *Bonjour et adieu à la négritude*.

Fanon (1925-1961)

Mais la violence purificatrice du poète pouvait-elle déboucher sur une solution aux problèmes martiniquais ? Fanon récusa, dans *Peaux noires, masques blancs* (1952), la thèse du nécessaire retour aux racines et du combat pour la race noire. Le problème de la race est pour lui un faux problème. Le mal se situe dans l'exploitation de tous les opprimés, du Tiers Monde et des prolétariats, par la société colonialiste et capitaliste. Césaire ne pouvait, dans cette perspective, que marquer une étape, avant l'engagement dans la Révolution active, celle à laquelle Fanon lui-même participa en Algérie au côté du FLN.

Édouard Glissant et la Créolité

Une autre position importante a été celle du romancier et poète Glissant (né en 1928). Après avoir célébré le *Cahier*, comme « la retournée flamboyante d'une conscience » et comme une étape nécessaire, il en est venu à reprocher à Césaire d'avoir méconnu la réalité économique et culturelle du monde caraïbe, plus métissé racialement et culturellement que Césaire ne l'a dit, plus proche de l'espace latino-américain que de la lointaine et mythique Afrique.

Les plus jeunes, dans le sillage de Glissant, se sont éloignés de Césaire, à la fois respecté et violemment combattu au nom de l'identité antillaise. Pour eux, Césaire ne restitua aux Antillais qu'une partie de leur être, « la partie non blanche, si férocement amputée », mais cela ne suffisait pas. Il remplaça une illusion par une autre illusion, « l'Europe par l'Afrique ». Or selon les défenseurs de la Créolité, les Antillais ne peuvent se sentir ni Européens ni Africains : l'identité antillaise est plus complexe. Selon eux, Césaire a méconnu la composition ethnique de ce creuset de langues et de cultures que sont les Antilles. Trop fasciné par la langue française et la culture occidentale, il aurait eu aussi le tort de dédaigner la spécificité antillaise et de se battre pour l'utopie d'une race noire unique.

Un autre grief, peut-être plus grave à leurs yeux, est son dédain du créole, véritable langue du peuple antillais.

Dans leur *Éloge de la Créolité* (1989), Bernabé, Chamoiseau et Confiant, puis, dans *Lettres créoles* (1991), Chamoiseau et Confiant, et Confiant enfin dans *Aimé Césaire, le paradoxe d'une traversée du siècle* (1993), se font les avocats de la langue créole et reprochent âprement à Césaire d'avoir négligé la spécificité culturelle des Antilles. À ces critiques d'ordre culturel, s'ajoute une mise en accusation de la politique du maire de Fort-de-France. Il est accusé, dans le dernier livre surtout, de n'avoir pas mis ses actes en accord avec les idées du *Cahier* et du *Discours*, c'est-à-dire, en fait, d'avoir été un défenseur honteux du colonialisme. Le débat est ouvert, qui tend de plus en plus à échapper à la littérature.

▰▰▰▰ CÉSAIRE AUJOURD'HUI

Les écrits de Césaire ont sans doute perdu de leur actualité historique, plus de trente ans après la décolonisation, même si la situation actuelle de la Martinique et de la Guadeloupe est encore l'objet de bien des débats, d'affrontements parfois entre les options « départementalistes » (voir p. 15), autonomistes ou indépendantistes. Ses textes poétiques ou politiques n'ont pourtant rien perdu de leur force corrosive. En France et aux États-Unis surtout, ils donnent lieu à de savantes études universitaires et trouvent, parallèlement, une grande audience auprès d'un public qui, en dépit des incontestables difficultés de la langue et des images ou du caractère inactuel de certains passages du *Discours*, en perçoit la qualité poétique et humaine. Comment pourrait-on imaginer qu'on ait pu porter au théâtre le *Discours sur le colonialisme*, naguère, et le *Cahier d'un retour au pays natal* en 1993, si acteurs et public avaient cessé de percevoir la puissance immédiate et universelle de ces pages d'un très grand écrivain ?

LEXIQUE

Les mots ci-dessous ne figurent pas dans tous les diction- naires. Certains sont signalés par un * *dans le Profil.*

ALEXITÈRE (C 12) : médicament qui prévient l'effet des poisons.

ASKARI (C. 59) : soldat noir de l'infanterie coloniale.

ASKIA (C. 38) : rois de l'empire de Gao (XVIe-XVIIe s.).

BALAFON (ou balafong) (C. 13), instrument à percussion originaire d'Afrique noire.

BANTOUS (D. 32) : populations de l'Afrique du Centre et du Sud, dont les langues sont voisines et qui ont une riche pensée spiritualiste.

CALEBARS (C. 39) : côte du Nigeria.

CAYES (C. 26) : rochers de vase, de corail et de madrépores (Antilles).

CÉCROPIE (C. 21) : arbre donnant un lait végétal.

CHAIN-GANG (C. 64) : chaîne liant les esclaves entre eux.

CHALASIE (C. 43) : relâchement.

CHLOASME (C. 51) : pâleur.

COROSSOLIER (C. 42) : arbuste qui donne un fruit tropical.

DOGONNEUX (D. 31) : néologisme ironisant sur les ethnologues qui ont étudié la philosophie des Dogons.

ÉRÉSIPÈLE (C. 33) : maladie de la peau

ESCHARE (C. 8) (ou escarre) : croûte sur la plaie d'un tissu nécrosé.

FILAO (C. 64) : arbre tropical, droit comme un pin.

JACQUIER (C. 64) : arbre à pain.

JICULI (LAIT) (C. 21) : poison végétal réputé inoffensif pour les indigènes.

KAÏLCÉDRAT (C. 47) : grand arbre majestueux de la savane.

LAMBI (C. 51) : coquillage antillais qui sert de trompe.

MACROTTEUR (D. 31) : néologisme injurieux, associant maquereau et crotte ?

MADHIS (C. 38) : guerriers du Soudan.

MARRON (C. 53) : aux Antilles, esclave évadé, vivant dans la nature (« marronnage »).

MENFENIL (C. 42) : oiseau de proie antillais.

MENTULE (C. 21) : pénis (du latin).

MORNE (C. 10) : petite hauteur arrondie (du créole). Les quartiers populaires de Fort-de-France sont bâtis sur les mornes environnants.

POUSSIS (C. 12) : vient d'une expression antillaise « faire poussis » : témoigner d'une admiration servile.

POUTURE (C. 12) : nourriture et engraissement du bétail nourri à l'étable.

SQUASME (C. 52) : lamelle de l'épiderme.

TABIDE (C. 44) : sans force.

TÉRATIQUE (C. 13) : adjectif, du grec *teras*, monstre.

TERRAQUÉ (C. 60) : fait de terre et d'eau.

VERRITION (C. 65) : néologisme obscur : mouvement ? clôture (verrou) ? transparence (verre) ?.

ÉLÉMENTS DE BIBLIOGRAPHIE

Sur la littérature antillaise et les écrivains noirs

– Antoine Régis *La Littérature franco-antillaise* (éd. Karthala, 1992). Une présentation d'ensemble des écrivains antillais et des métropolitains qui se sont intéressés aux Antilles.
– Kesteloot Lilyan, *Les Écrivains noirs de langue française: naissance d'une littérature* (éd. Université de Bruxelles, 1963, nombreuses rééditions). Livre de base pour l'histoire littéraire. Voir. p. 148 à 175, une étude du *Cahier*.
– Toumson Roger, *La Transgression des couleurs. Littérature et langage des Antilles (XVIIIe, XIXe, XXe siècles)* (éd. Caribéennes, 1989). Voir sur Césaire p. 411-458 et sur la Négritude p. 483-500.

Sur Césaire, sa vie, son œuvre, sa pensée

– Bajeux Jean-Claude, *Antilia retrouvée. Claude Mac Kay, Luis Pales Matos, Aimé Césaire, poètes noirs antillais* (éd. Caribéennes, 1983). Voir « Césaire ou le poète-prophète », p. 175-283.
– Confiant Raphaël, *Aimé Césaire ou la traversée paradoxale du siècle* (éd. Stock, 1993). Sur ce livre, voir ci-dessus p. 76.
– Delas Daniel, *Aimé Césaire* (éd. Hachette,1991). Survol de l'ensemble de l'œuvre ; bibliographie ; textes de critiques.
– Kesteloot Lilyan et Kotchi Barthélemy, *Aimé Césaire, l'homme et l'œuvre* (éd. Présence Africaine, Classiques africains, 1993). Présentation d'ensemble. Voir « La Poésie », p. 19-106 et « Le Théâtre de la vie politique », p. 175-194.
– Ngal Georges, *Césaire, un homme à la recherche d'une patrie* (éd. Présence Africaine, 1994). L'ensemble de l'itinéraire vu par un universitaire zaïrois.
– Towa Marcien, *Poésie de la Négritude, approche structuraliste* (éd. Naaman, Sherbrooke, 1983). Voir la 4e partie, p. 138-246.

Sur le *Cahier d'un retour au pays natal*

– Combe Dominique, *Aimé Césaire, « Cahier d'un retour au pays natal »* (Coll. Études littéraires, PUF 1993). Présentation d'ensemble de l'œuvre, assortie d'une bonne étude stylistique.
– Kesteloot Lilyan, *Comprendre le « Cahier d'un retour au pays natal »* (éd. Les Classiques africains, 1982). Étude du texte, parfois utile pour les passages les plus obscurs.

On trouve dans des ouvrages collectifs des études fondamentales. Voir *Aimé Césaire ou l'athanor d'un alchimiste* (éd. Caribéennes, 1987) ; *Soleil éclaté* (éd. G. Narr, 1984) et *Césaire 70* (éd. Silex, 1985).

INDEX DES THÈMES ET NOTIONS

Les références renvoient aux pages du Profil.

LITTÉRATURE

FORMATION

Imprimé en France – par l'Imprimerie Hérissey - 27000 Évreux
Dépôt légal : 14495/08/mars 1995 – N° d'impression : 68426